ERSTE HILFE AM HUND

Erste Hilfe am Hund

von Daniela Neika und
Manuela Eckenbach-Arndt

CADMOS
HUNDEBÜCHER

Cadmos Verlag GmbH Lüneburg

Copyright © 2001 by Cadmos Verlag

Gestaltung, Illustrationen und Titelfoto:
Manuela Eckenbach-Arndt, Lohmar

Druck: Westermann Druck, Zwickau

Printed in Germany

ISBN 3-86127-717-4

Helfen
lohnt sich immer

Wer seinen Hund täglich um sich hat und mit ihm vertraut ist, kommt bald auf den Gedanken, dass er mehr wissen möchte als um die tägliche Versorgung seiner Grundbedürfnisse nach Sozialkontakt, Fressen und Schlafen, nach Spazierengehen und Spielen. Gerade die aktiven Hundebesitzer, die sehr viel mit ihrem Hund unternehmen, erkennen, dass zu ihrer Verantwortung auch die Sorge gehört, dass der Hund nicht krank wird, und dass sie im Ernstfall die nötigen Kenntnisse haben sollten, um ihrem Hund richtig helfen und ihm vielleicht sogar damit das Leben erhalten zu können. Wir haben diesen praktischen Ratgeber für alle Hundebesitzer und Hundefreunde geschrieben, die wissen wollen, wie sie bei einem verletzten oder kranken Hund erste Hilfe leisten können, bis ein Tierarzt die Behandlung weiterführen kann.

Es kann Ihnen passieren, dass es während eines Spaziergangs, beim Spielen, beim Hundesport oder während des Trainings und Einsatzes von Dienst- und Rettungshunden zu Verletzungen kommt, die Sie sofort behandeln müssen, bis Sie die Möglichkeit haben, den Hund zum Tierarzt zu bringen. In den allermeisten Fällen handelt es sich dabei um Bissverletzungen, Schnittwunden, Abschürfungen und im Sommer wegen der Hitze um Kreislaufprobleme. Schwere Verletzungen wie Stromunfälle, Verbrennungen, Pfählungsverletzungen, Verletzungen durch Wildschweine und Augenverletzungen sowie die gefürchtete Magendrehung kommen zum Glück verhältnismäßig selten vor.

Es ist eine lohnende Erfahrung, einem in Not geratenen Hund helfen zu können, sein Leben zu retten oder einfach seine Leiden zu lindern. Um so wichtiger ist es, in solchen Situationen die erforderlichen Kenntnisse zu besitzen und richtig helfen zu können.

Wir danken allen, die bei der Entstehung dieses Buches geholfen haben, für ihren Rat, Tipps und Unterstützung.

Aber besonders danken wir den Hunden Shonka, Amigo, Franka, Billie, Lasko, Leroy und Nuschka, die für alle möglichen Notfälle Fotomodell gestanden haben und etliche Erste-Hilfe-Maßnahmen geduldig über sich ergehen ließen.

Daniela Neika und
Manuela Eckenbach-Arndt

Im nächsten Augenblick kann es schon passiert sein. Gut zu wissen, wie man im Ernstfall helfen kann. (Foto: Infohund/Eva-Maria Krämer)

Grundsätze der ersten Hilfe am Hund

Stellen Sie sich einen Unfall mit einem verletzten Menschen vor. Wenn Sie schon einmal einen Erste-Hilfe-Kursus besucht haben (mindestens einmal vor der Führerscheinprüfung), verfügen Sie über – hoffentlich noch – ausreichende Kenntnisse, um den Patienten erstzuversorgen.

Sie setzen einen Notruf ab und der Patient wird möglichst schnell dem Rettungsdienst und anschließend dem Krankenhaus übergeben, wo professionelle, ärztliche Hilfe eine bestmögliche Versorgung garantiert.

In der Tiermedizin steht man oft vor einem Phänomen: Viele Hundehalter, insbesondere die erfahreneren, wie Züchter, Hundesportler oder Diensthundeführer, behandeln ihren erkrankten oder verletzten Hund zunächst einmal selbst.

Erst wenn sich der Zustand ihres Tieres massiv verschlechtert oder über längere Zeit nicht bessert, wird der Tierarzt aufgesucht.

Der Tierarzt ist hier oft nicht der erste, sondern der letzte mögliche Weg, und wie häufig hat man es dann mit bereits ver-

Zu einer Partnerschaft gehören auch die Gesundheitsvorsorge und die nötigen Kenntnisse über Erste-Hilfe-Maßnahmen, damit Sie im Notfall richtig helfen können. (Foto: Infohund/Eva-Maria Krämer)

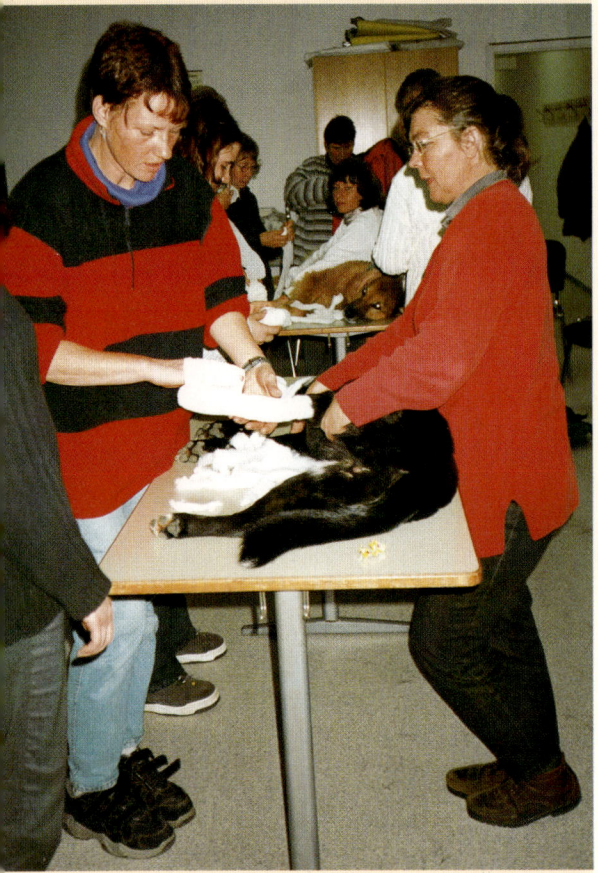

Praktische Übungen: Verbände anlegen bei einem Erste-Hilfe-am-Hund-Kurs (Foto: Daniela Neika)

für das Überleben des Hundes ausschlaggebend. Also zögern Sie bitte nicht, Ihren Hund einem Tierarzt vorzustellen!

Zum Erlernen der ersten Hilfe reicht das Lesen dieses Buches alleine nicht aus. Hier hilft nur: ÜBEN, ÜBEN, ÜBEN.

Alle Maßnahmen, die hier dargestellt werden, sollten unbedingt VOR einem Notfall unter Anleitung eines Tiermediziners oder Veterinärmedikanten geübt werden.

Erste-Hilfe-am-Hund-Kurse werden mittlerweile von vielen Tierärzten angeboten (Adressen erhält man bei den Tierärztekammern und unter der Telefonnummer 02 28 / 7 25 46 70) sowie von Fachkundigen aus rettungshundeführenden Organisationen.

Empfehlenswert ist auch ein Schnupperpraktikum bei Ihrem Haustierarzt. Die Teilnahme an einem solchen Kursus lohnt sich immer, schon alleine, um die wichtigsten Handgriffe exakt zu lernen.

Im Zweifel wenden Sie dieselben Notfallmaßnahmen wie beim Menschen an (auf gravierende Unterschiede wird im Text schon hingewiesen).

Naturheilmittel wie homöopathische Mittel, Bach-Blüten-Therapie und Tellington-Touch können Erste-Hilfe-Maßnahmen oder gar den Tierarztbesuch niemals ersetzen. Sie dürfen diese Maßnahmen jedoch zusätzlich zu den eigentlichen Erste-Hilfe-Maßnahmen zur Unterstützung der Heilung einsetzen. Aus demselben Grund gehört ein verletzter oder akut erkrankter Hund auch in die Hand eines Tierarztes für Kleintiere und nicht zu einem Tierheilpraktiker!

schleppten, schlecht heilbaren Erkrankungen zu tun!

Ihr Hund kann es sich nicht aussuchen, er kann nicht protestieren. Bitte lassen Sie ihm dieselben Chancen angedeihen wie Ihrem Unfallpatienten, den Sie schließlich auch nicht selbst behandeln und dann nach Hause schicken!

Prinzipiell gilt, dass der verletzte oder erkrankte Hund lieber einmal zuviel zum Tierarzt gebracht wird als einmal zu wenig. Der Zeitfaktor spielt häufig eine große Rolle für den Heilungserfolg oder ist gar

INHALT EINER KLEINEN HUNDE-APOTHEKE FÜR ERSTE-HILFE-NOTFÄLLE

Die hier vorgestellten Teile können Sie in einer separaten kleinen Tasche deponieren, zu Hause in Ihren Medizinschrank legen und zum Training, beim Hundesport oder bei längeren Unternehmungen wie Wandern und Urlaub mitführen:

1	kleine Taschenlampe
1	Schere (gebogen, spitz-stumpf)
1	Pinzette
1	Krallenzange
1	Maulkorb oder 2 Schnauzenbänder (zur Eigensicherung)
1	Fläschchen Jodlösung, zum Beispiel Betaisdona™
1	Fläschchen dreiprozentige Wasserstoffperoxidlösung
2	Elektrolyt-Pulver, zum Beispiel Oralpädon™
2	Calcium, zum Beispiel Calcium frubiase-Trinkampullen™
1	Brandwundentuch
1	Verbandwatte auf Rolle
2	Mullkompressen
2	Mullbinden oder flexible Kohäsivbinden, z.B. peha-Haft™
1	Rolle Pflaster
1	Pfotenstulpen aus Leder oder Neopren, alternativ Kindersöckchen
1	Zeckenzange
1	Kühlkissen (erhältlich in der Apotheke)
1	10 Milliliter-Einwegspritze
1	Fieberthermometer

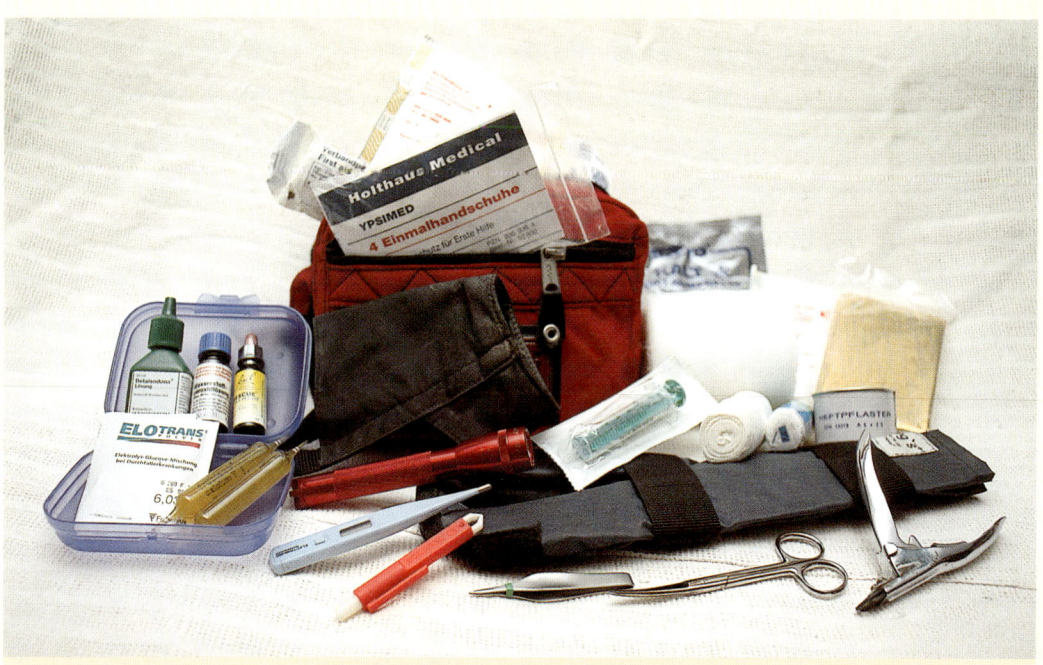

Alle Teile für die Hunde-Apotheke passen in eine kleine Tasche (Foto: Infohund/Eva-Maria Krämer)

Grundlegende Maßnahmen

SELBSTSCHUTZ

Ein Hund, der Schmerzen hat oder unter Schock steht, kann auch ihm vertraute Menschen beißen. Die erste Maßnahme bei Annäherung an einen verletzten Hund ist daher das Anlegen eines Beißschutzes. Der einfachste, handlichste und wirkungsvollste Beißschutz ist das Schnauzenband als Alternative zum Maulkorb. Jeder Hundeführer sollte in seiner Hunde-Apotheke eines haben. Es handelt sich um eine weiche, elastische, sechs bis acht Zentimeter breite und etwa 120 Zentimeter lange Binde (zum Beispiel Daurodur™-Binde). Sie lässt sich bei jedem Hund anlegen und ist auch sonst einsetzbar (als Halsband, Leine und Ähnliches).

Das korrekte Anlegen eines Schnauzenbandes sollte unbedingt vorher mehrmals geübt werden, damit es im Notfall reibungslos klappt.

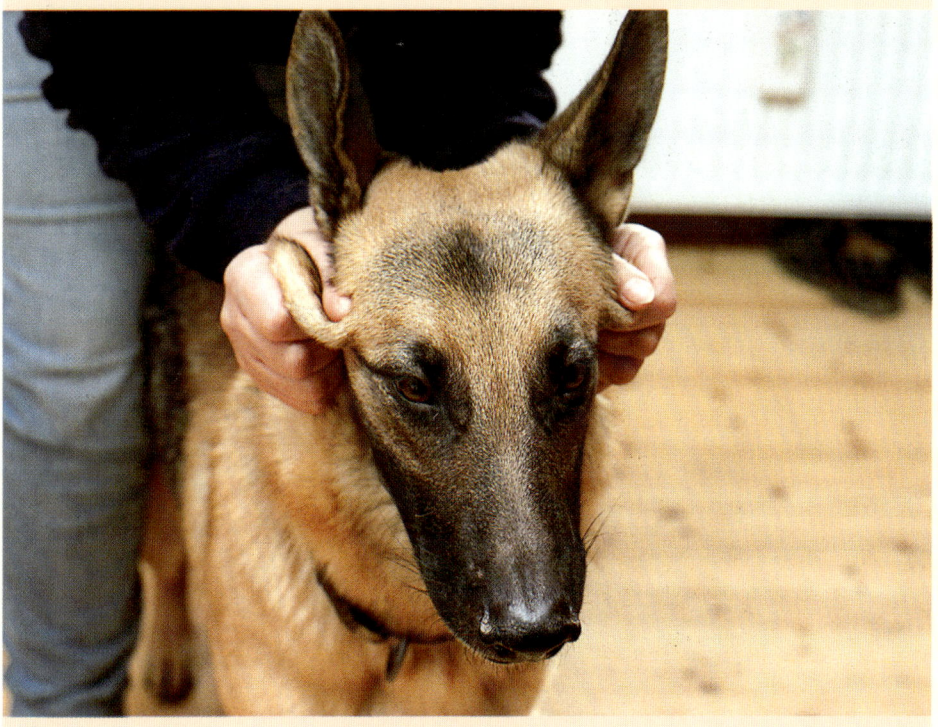

Der Helfer hält den Hund, indem er ihn von hinten links und rechts hinter- und unterhalb der beiden Ohren kräftig ins Fell packt und so den Kopf sicher hält, bis das Schnauzenband sitzt. (Foto: Manuela Eckenbach-Arndt)

Da davon ausgegangen werden muss, dass der Hund Abwehrbewegungen macht oder gar um sich beißt, sollte möglichst ein Helfer den Hund festhalten.

Der zweite Helfer legt dann das Band an. Der Hund darf bei einem korrekt sitzenden Schnauzenband die Schneidezähne nicht mehr öffnen können.

Handelsübliche Maulkörbe sind auch ein Beißschutz, haben aber gegenüber dem Schnauzenband gewisse Nachteile: Ein guter Maulkorb muss angepasst werden und ist der Qualität entsprechend teuer.

Er nimmt mehr Platz weg als das Band, und die Verletzungsgefahr für den Helfer ist recht hoch, wenn der Hund mit dem Kopf heftig um sich schlägt. Auch besteht die Gefahr, mit den Fingern durch die Gittermaschen zu geraten und gebissen zu werden.

ACHTUNG! Hunde mit Atmungs- oder Kreislaufproblemen sowie Hunde, die laufend erbrechen, dürfen keine Art von Schnauzenband oder Maulkorb tragen.

Bei Kopfverletzungen darf nur dann ein Beißschutz angelegt werden, wenn dadurch die Verletzung nicht negativ beeinflusst wird und nur dann, wenn keine zusätzlichen Schmerzen ausgelöst werden können.

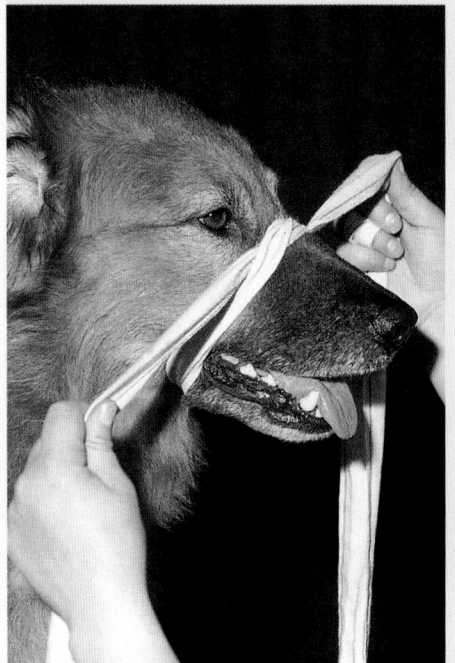 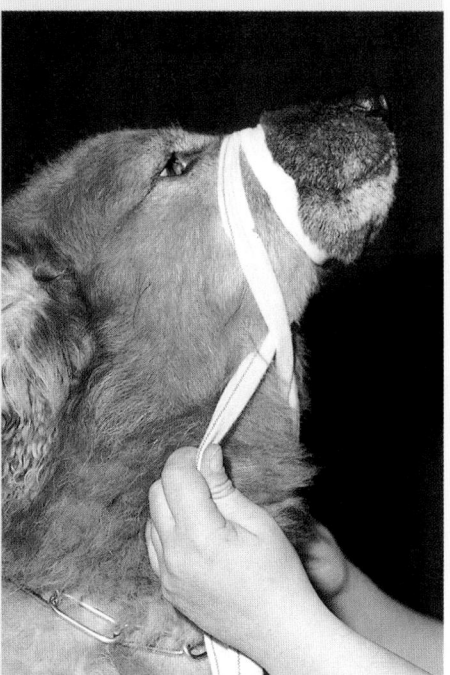

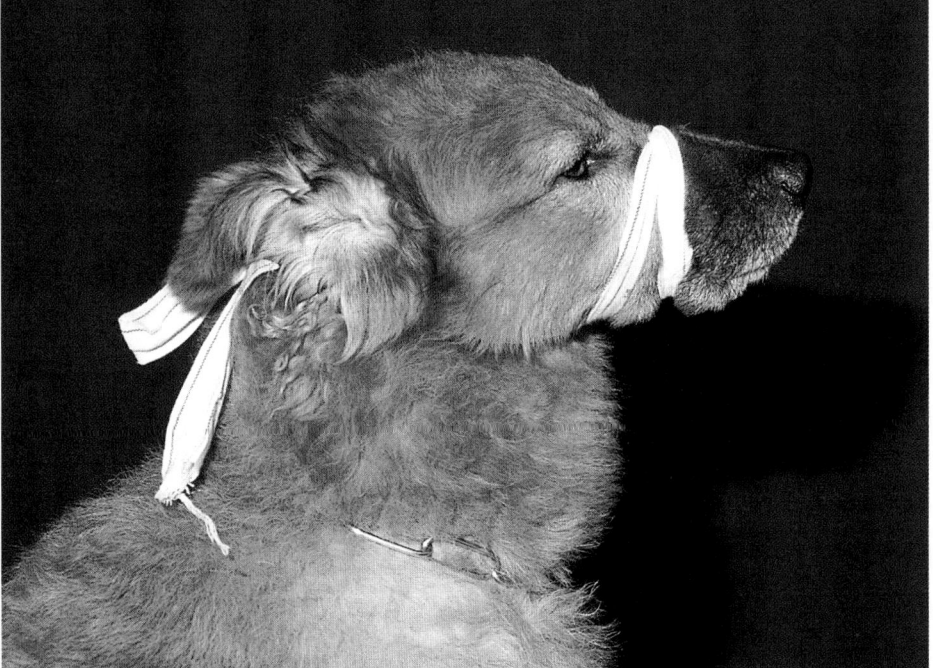

Oben rechts: Bilden Sie in der Mitte des Bandes eine Schlinge mit einem „Hausfrauenknoten". Legen Sie die Schlinge mit dem Knoten nach oben um den Fang des Hundes und ziehen sie so nah wie möglich am Stop fest an. Oben links: Anschließend führen Sie die beiden Enden des Bandes nach unten, kreuzen Sie unter dem Fang und führen Sie auf der anderen Seite wieder hoch. Unten: Die Enden verbinden Sie nun hinter den Ohren mit einer Schleife, die Sie gut strammziehen. (Fotos: Manuela Eckenbach-Arndt)

WICHTIGE UNTERSUCHUNGEN UND NORMWERTE

Die individuellen Normwerte sollten Sie an ihrem eigenen Hund überprüfen, solange er gesund ist, wobei Sie sowohl die Ruhewerte als auch die Werte nach Anstrengung (zum Beispiel nach einer Agility-Übung) notieren sollten, um im Notfall einen Vergleich haben. Es gibt zwischen den einzelnen Hunden enorme Schwankungsbreiten. Notieren Sie sich diese Werte an einer Stelle, die Sie im Notfall schnell finden.

GEWICHT DES HUNDES

Wiegen Sie Ihren Hund immer wieder einmal und merken Sie sich das Gewicht. Es ist nicht nur ein guter Vergleichswert für die Erhaltung des Optimalgewichts des Hundes; der Tierarzt benötigt das Gewicht, um Medikamente richtig dosieren zu können oder um eine Narkose durchzuführen. Bei manchen Notfall-OP bleibt kaum Zeit, den Hund vorher noch lange zu wiegen, so dass ein bekanntes Gewicht eine wertvolle Hilfe ist.

PULS

Der Puls wird an der Oberschenkelschlagader (Arteria femoralis) an der Innenseite des Oberschenkels gemessen. Neben der Pulsfrequenz kann man dabei auch die Pulsqualität beurteilen, ein normaler Puls ist kräftig und deutlich fühlbar, die Pulsschläge sind deutlich voneinander abgesetzt. Es braucht einen ziemlichen Druckaufwand, um die Arterie so gegen den darunterliegenden Knochen zu drücken, dass der Puls nicht mehr fühlbar ist (man drückt an dieser Stelle auch die Arterie ab). Die normale Frequenz liegt bei Hunden mittlerer bis großer Größe bei 80 bis 100 Schlägen pro Minute, kleine Hunde haben 100 bis 120 Schläge pro Minute. Junge und kleine Hunde haben einen schnelleren Puls als große oder alte Tiere. Der Puls ist

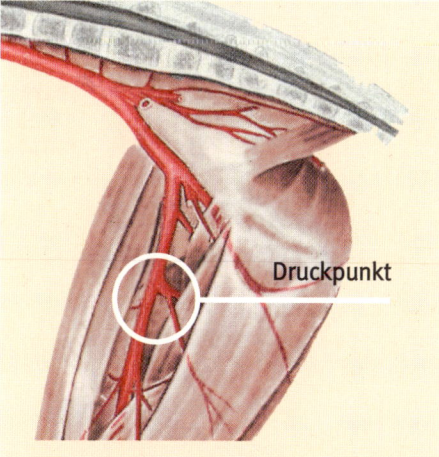

Für die Pulskontrolle wird die Oberschenkelschlagader (Arteria femoralis) zwischen den beiden Muskelsträngen gegen den Knochen gedrückt.

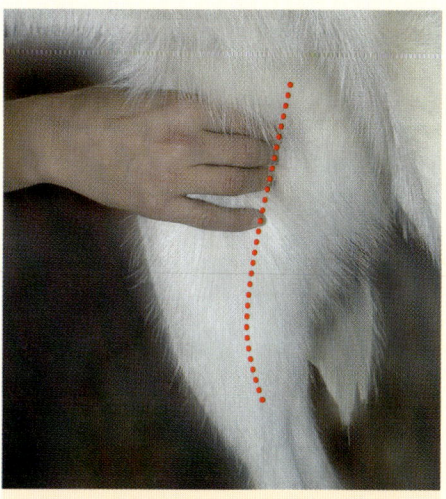

An der Innenseite der Oberschenkel wird der Puls getastet. (Foto: Manuela Eckenbach-Arndt)

ebenfalls schneller nach Anstrengung oder bei Aufregung. Bei kranken Tieren kann ein schneller Puls auf Fieber oder Schock hinweisen. Der Puls wird gemessen, indem man mit den Fingern von vorne um den Oberschenkel greift, so dass der Daumen außen, die Finger aber innen am Oberschenkel liegen. Dann sucht man mit zwei bis drei Fingern die senkrechte Rinne zwischen den zwei großen Muskelsträngen auf. In dieser Rinne tastet man die Arterie mit wenig Druck.

ATMUNG

Bei der Atmung beurteilt man die Frequenz und achtet auf untypische Geräusche, Atembewegungen oder Husten. Die Frequenz liegt bei zehn bis 40 Atemzügen pro Minute, je nach Größe des Hundes. Frequenzabweichungen gibt es ebenfalls bei Anstrengung oder Aufregung, außerdem bei Atemnot: hier kann die Frequenz sowohl erhöht als auch erniedrigt sein. Eine niedrige Frequenz kann ein Hinweis auf Unterkühlung, Schädelverletzungen oder manche Vergiftungen sein.

Hecheln ist bei Hitze, Anstrengung oder Aufregung normal, es dient nicht der eigentlichen Atmung, sondern als so genannte Pendelatmung dem Wärmeaustausch und darf nicht als Atemfrequenz gezählt werden.

Untypische Atembewegungen und Atemgeräusche können ebenso wie Husten auf die verschiedensten Erkrankungen hinweisen, von der Rippenfraktur über eine Erkältungskrankheit bis zum Fremdkörper in den Atemwegen.

TEMPERATUR

Die Temperatur wird am einfachsten mit einem Digitalthermometer im Anus gemessen. Dazu wird das Thermometer angefeuchtet oder mit Öl gleitfähig gemacht und wenigstens zwei Zentimeter tief eingeführt. Die Normaltemperatur liegt beim Hund zwischen 38 und 39° C. Dabei haben ältere und größere Tiere eine niedrigere Temperatur als kleine oder junge.

Die Temperatur steigt bei Anstrengung, hoher Außentemperatur und Aufregung bis auf leicht fieberhafte Werte oder mehr an. Deshalb ist ein Vergleich zum gesunden Hund vorteilhaft.

Fieber deutet auf eine Allgemeinerkrankung oder umfangreiche Entzündung hin. Untertemperatur tritt bei schweren Krankheiten, Unterkühlung, schweren Verletzungen, manchen Vergiftungen und Schock auf.

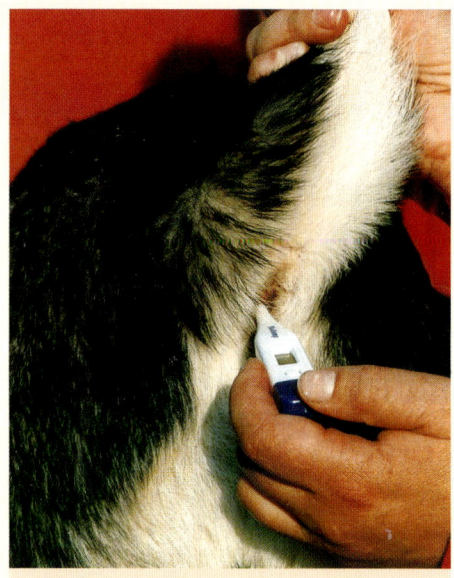

Am einfachsten wird die Temperatur mit einem Digitalthermometer gemessen. (Foto: Daniela Neika)

BLUTDRUCK UND KREIS-LAUFSITUATION

Der Blutdruck kann vom Tierarzt mittels eines speziellen Meßgerätes wie beim Menschen gemessen werden. Man kann jedoch die Kreislaufsituation beim Hund auch ohne Hilfsmittel anhand einiger einfacher Untersuchungen sehr gut abschätzen:

PULSQUALITÄT

Tastpunkt (Arteria femoralis), ein schwacher, kaum tastbarer oder fadenförmiger Puls mit schlecht gefüllten und leicht komprimierbaren Gefäßen deutet auf einen schwachen Blutdruck hin. Ist der Puls an der Oberschenkelschlagader nicht mehr tastbar, so liegt der systolische Blutdruck (Austreibungsphase aus dem Herzen) unter 70 mmHg, normale Werte sind 110 bis 130 mmHg. Ohne schnelle tierärztliche Hilfe besteht akute Lebensgefahr!

KAPILLÄRE RÜCKFÜLLUNGSZEIT

(KRZ) Die Zeit, die das Blut benötigt, um das Gewebe an einer Druckstelle wieder zu durchbluten. Man sucht sich am Zahnfleisch eine möglichst unpigmentierte Stelle (rosa) und presst mit dem Daumen einige Sekunden kräftig dagegen. Dann lässt man plötzlich los und beobachtet die Stelle. Der anfangs blutleere (hellrosa-

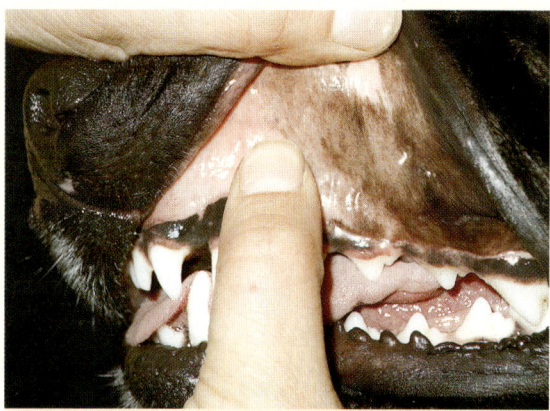

Ein paar Sekunden lang fest den Daumen auf das Zahnfleisch drücken, dann loslassen.

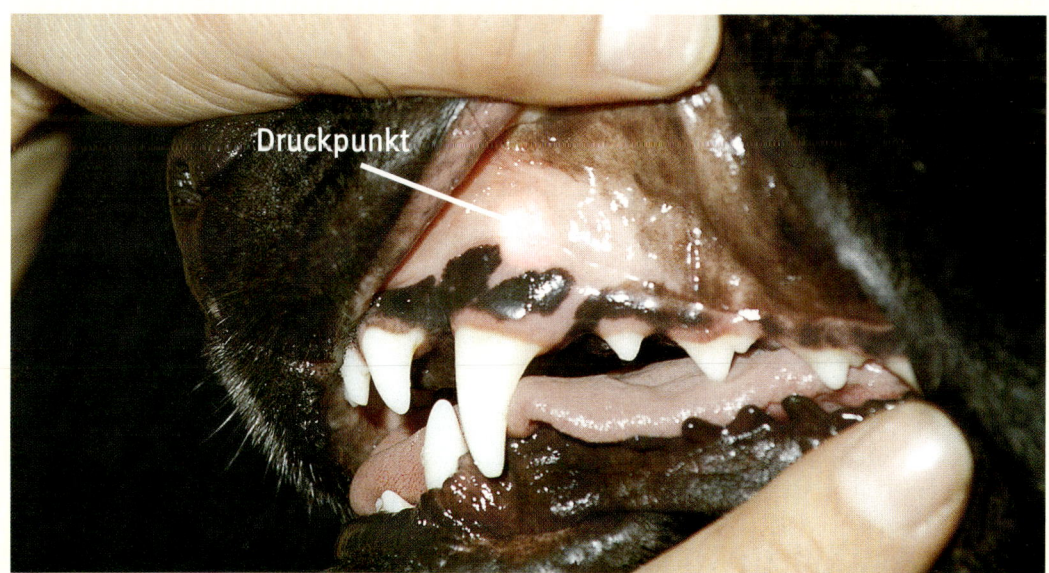

Druckpunkt

Langsam 21… 22… zählen, dann muss die helle Druckstelle wieder die Umgebungsfarbe angenommen haben, sonst ist die Kreislaufsituation bedenklich. (Fotos: Manuela Eckenbach-Arndt)

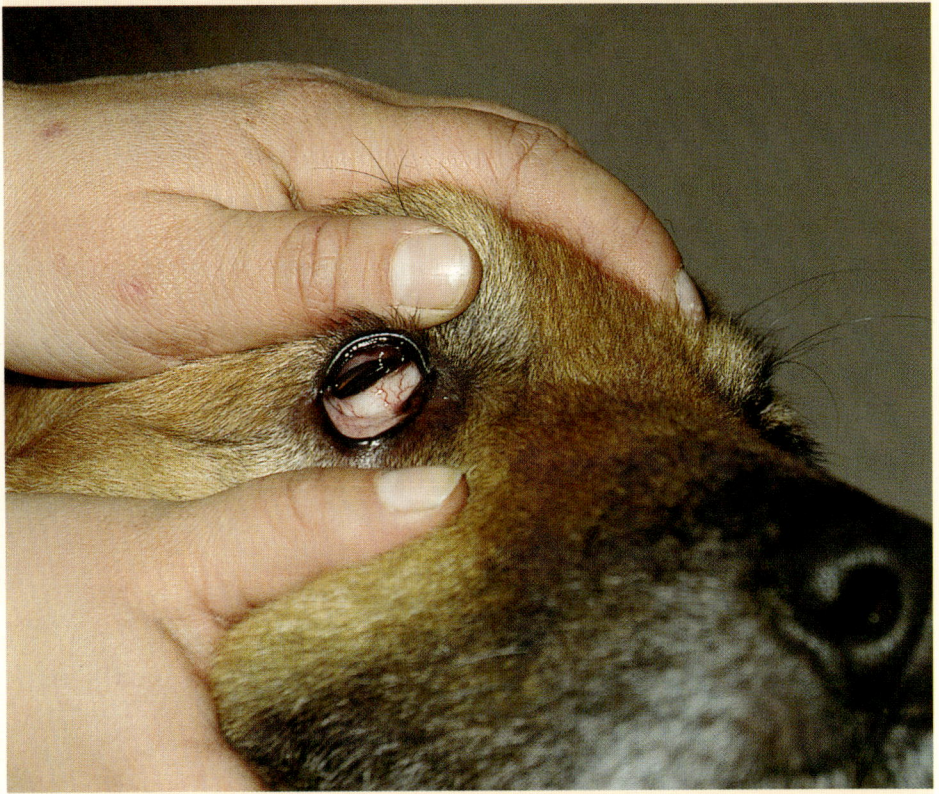

Man zieht das Unterlid leicht nach unten und übt auf das Oberlid und den darunter liegenden Augapfel leichten Druck aus (der Augapfel wird weiter in die Augenhöhle verlagert). Dabei fällt die stets rosafarbene Nickhaut vor. (Foto: Manuela Eckenbach-Arndt)

weiße) Fleck sollte innerhalb von zwei Sekunden wieder die Ausgangsfarbe annehmen (zählen Sie 21, 22). Dauert dieser Vorgang länger, ist die Kreislaufsituation schlecht.

EPISKLERALGEFÄSSE:

Das sind die feinen Äderchen auf der weißen Oberfläche (Sklera) des Augapfels. Um sie zu beurteilen, beugt man den Kopf des Hundes etwas nach oben und zieht das Oberlid etwas hoch.

Die Adern müssen fein gezeichnet sichtbar sein. Krankhaft sind verwaschene, nicht sichtbare oder prall gefüllte Adern.

SCHLEIMHAUTFARBE:

Die Schleimhautfarbe sollte an unpigmentierten Stellen blassrosarot, feucht, glatt und glänzend sein. Viele Hunde haben eine dunkel pigmentierte Maulschleimhaut. Dann (und auch sonst zum Vergleich) schaut man sich die Nickhaut an, sie ist das dritte Augenlid des Hundes. Die Farbe der Zunge ändert sich oft erst später als die der übrigen Schleimhäute oder weicht gänzlich davon ab (nicht nur beim Chow-Chow). Oft beobachtet man bei kerngesunden Hunden einen Blaustich der Zunge, wenn sie hechelnd bei kalten Außentemperaturen eine Weile gelaufen sind. Ansonsten sind eine lila-bläuliche Färbung (Hinweis auf Sauerstoffmangel, Kreislaufschwäche, Herzerkrankung), Blässe bis zum Porzellanweiß (Blutmangel zum Beispiel durch starke Blutung, innere Blutung, verschiedene Krankheiten) sowie verwaschenes Ziegelrot oder Dunkelrot (Infektionskrankheiten, Hitzschlag, verschiedene andere Krankheiten) stets krankhaft.

BLUTMENGE:

Man schätzt die Blutmenge auf circa 400 Milliliter Blut pro fünf Kilogramm Hund, das heißt bei 15 Kilogramm Hund sind es circa 1200 Milliliter, bei 20 Kilogramm circa 2000 Milliliter, bei 35 Kilogramm circa 2900 Milliliter. Bei einem Blutverlust von mehr als einem Viertel der Gesamtblutmenge besteht akute Lebensgefahr. Der Hund muss schnellstens zum Tierarzt. Der wirkliche Blutverlust ist nur selten sicher abzuschätzen. Blutlachen und -flecken sehen oft nach viel mehr aus, als sie eigentlich sind, andererseits können Verbände, Decken und Ähnliches enorme Blutmengen aufnehmen, es nach außen hin aber nicht ahnen lassen.

ANWENDUNG VON MEDI-KAMENTEN

Die Aufzählung der in der Hundeapotheke genannten Medikamente ist bewusst auf wenige wichtige beschränkt. Generell sollten Medikamente nur nach Rücksprache mit dem Tierarzt verabreicht werden, auch wenn sie dem Hund irgendwann einmal vom Tierarzt verschrieben worden sind. Es braucht nicht betont zu werden, dass eigenmächtige medikamentöse Behandlungsversuche dem Hund oft mehr schaden als nützen.

Sollen Sie nun Pulver, Tabletten, Tropfen oder Paste eingeben, ist es am einfachsten, sie unters Futter zu mischen. Oder mischen Sie das Medikament in einen Leber-

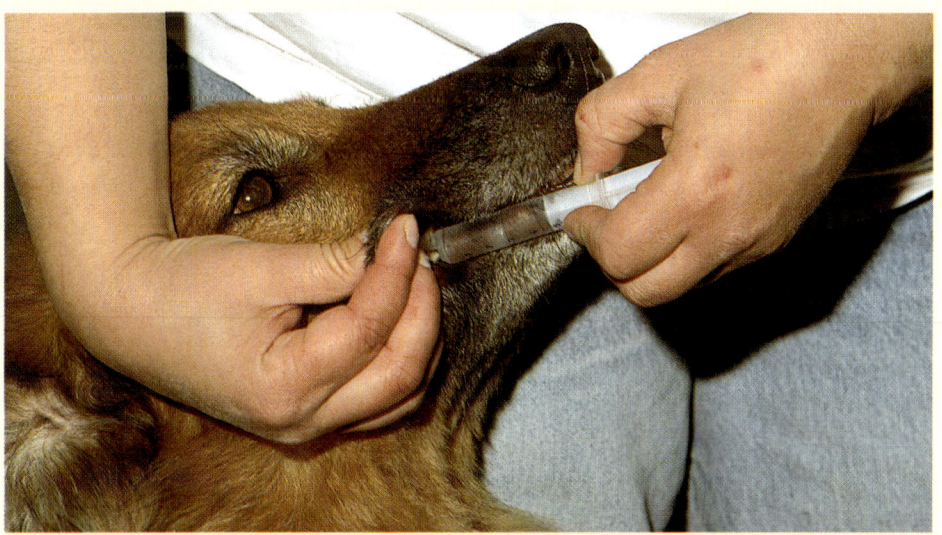

Tabletten in etwas Flüssigkeit auflösen, mit einer Einwegspritze aufziehen und dem Hund ins Maul träufeln – nicht spritzen! (Foto: Manuela Eckenbach-Arndt)

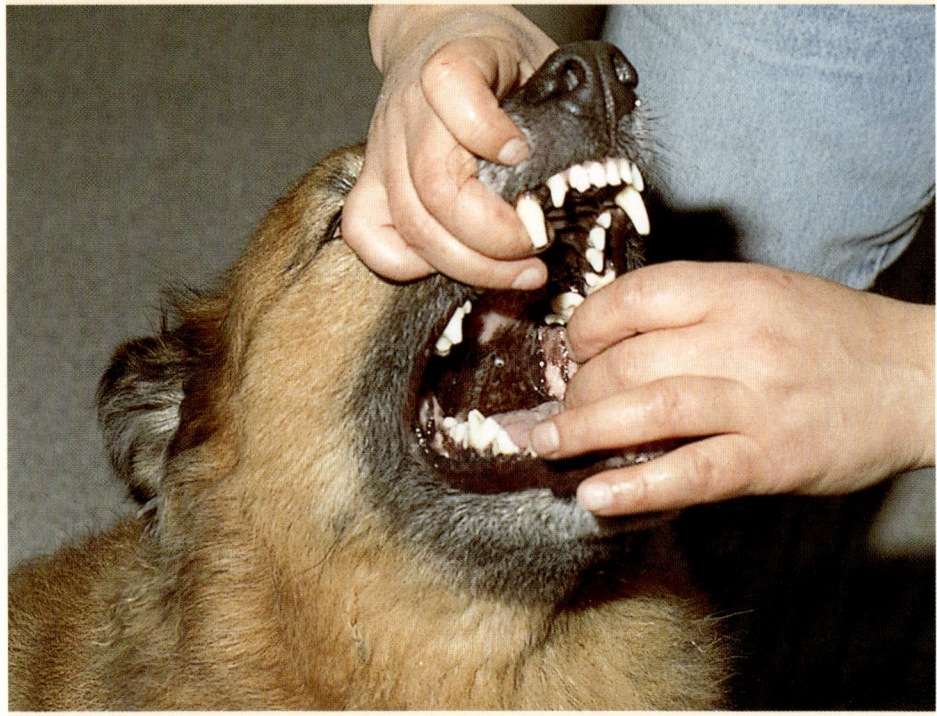

So können Sie einem Hund eine Tablette eingeben. (Foto: Manuela Eckenbach-Arndt)

wurstballen und füttern Sie den von Hand. Ansonsten geben Sie Flüssigkeiten oder in Wasser gelöste Pulver und Tabletten ein. Aufgelöste Pulver oder Tabletten können Sie mit einer Einwegspritze aufziehen und seitlich langsam ins Maul einträufeln. Lassen Sie dem Hund dabei Zeit abzuschlucken.

Der Kopf sollte etwas angehoben, jedoch niemals überstreckt werden. Pasten werden mittels Tube oder Spritze auf dem Zungengrund (also möglichst weit hinten im Fang) oder auf dem Gaumen verteilt.

Die sicherste Methode, Tabletten einzugeben, ist folgende: Mit der einen Hand von oben um den Oberkiefer greifen und die Finger gegen die Lefzen im Bereich hinter den Eckzähnen drücken. Die andere Hand hält die Tablette zwischen Daumen

und Zeigefinger und drückt mit Ring- und kleinem Finger die unteren Schneidezähne und den Unterkiefer nach unten. Der Mittelfinger drückt auf die Zungenmitte, damit wird der Öffnungsreflex ausgelöst. Schieben Sie die Tablette mit Daumen und Zeigefinger über den Zungengrund (die höchste Wölbung der Zunge). Schließen Sie den Fang sofort und halten Sie ihn zu, bis die Zunge zwischen den Schneidezähnen erscheint und der Hund abgeschluckt hat. Diesen Handgriff sollten Sie unbedingt vorher üben, zum Beispiel mit kleingebrochenen Leckerchen. Das Auftragen von Salben, Cremes, Lotionen und Ähnlichem erfolgt nach Angaben des Tierarztes beziehungsweise Herstellers auf die geschorene Haut!

Heben, Tragen und Fixieren des Hundes

Manchmal ist der Hund nicht mehr selber in der Lage, zum Auto beziehungsweise in die Praxis zu laufen oder man will jede unnötige Bewegung vermeiden. Welche Hebe- und Tragemethode man anwendet, hängt von der Art und der Lokalisation der Verletzung ab. Der gesunde Menschenverstand wird Ihnen im Notfall weiterhelfen: Die schmerzhafte Region sollte so wenig wie möglich belastet werden. Das Tier ist immer schonend zu heben, am besten zu zweit. Dann erfolgt ein zügiger, aber schonender Transport mit dem Auto zum Tierarzt.

Das Heben des Hundes allein oder zu zweit sollte unbedingt mit dem gesunden Hund trainiert werden, damit er sich nicht dagegen wehrt, wenn es einmal sein muss. Längere Strecken tragen Sie den Hund am kraftsparendsten auf Ihren Schultern, wobei Ihr Nacken nicht in die Magengrube des Hundes drücken darf, sondern Kontakt mit dem Brustbein des Hundes haben soll.

Kleinere und leichtere Hunde können Sie mit beiden Armen vorne um die Brust und hinten unterhalb der Rute um die Kniekehlen umgreifen und anheben. Es ist recht anstrengend, einen Hund so längere Strecken zu tragen. Je nach Verletzung können Sie größere Hunde auch mit dem einen Arm vorne um die Brust, mit dem anderen Arm vor den Hinterbeinen unter dem Bauch umfassen und so heben beziehungsweise tragen. Diese Methode geht auch zu zweit, ist für den Hund aber nach kurzer Zeit recht unangenehm.

Große und schwere Hunde legen Sie sich leichter von einem erhöhten Standpunkt (Bank, Mäuerchen, Treppenstufe ...) aus auf die Schulter, indem Sie Ihren Kopf unter dem Bauch des Hundes hindurchschieben, mit der einen Hand und Armbeuge die Vorder- und mit der anderen die Hinterbeine fassen und sich dabei gleichzeitig aufrichten. (Foto: Manuela Eckenbach-Arndt)

Das Tragen auf einer Decke sollte möglichst mit dem gesunden Hund vorher ein paar Mal geübt werden. Allzu nervöse Hunde versuchen sonst immer wieder, herunter zu springen. (Foto: Manuela Eckenbach-Arndt)

Soll ein großer Hund möglichst ohne Bewegungen auch über längere Strecken transportiert werden, bedient man sich einer Behelfstrage: Dazu legen Sie den Hund zunächst auf eine Decke oder einen Mantel und rollen die Längsseiten nach außen um, so dass an den Ecken Griffwulste entstehen. Jetzt können Sie mit einem Helfer jeweils am Vorder- und Hinterende (der Hundebesitzer geht immer am Kopfende!) die Ecken der Decke greifen und den Hund wie in einer Hängematte tragen.

Jede Erstversorgung und Behandlung wird nach Möglichkeit auf einem Tisch, einer Motorhaube oder Ähnlichem durchgeführt. Meist wird der Hund in Seitenlage abgelegt, wobei die zu behandelnde Seite oben liegt. Sie benötigen auch da einen Helfer, der den Hund fest hält. Dazu steht er dicht an der Rückenseite des Hundes und drückt mit dem Ellenbogen des einen Armes den Hals (und somit den Kopf) des Hundes nach unten, gerade so fest, dass er an seinem Platz gehalten wird. Die Hand desselben Armes hält das untenliegende Vorderbein oberhalb des Handwurzelgelenks fest. Der andere Arm drückt vor dem Hinterbein den Leib des Hundes auf den Tisch, die Hand hält das untere Hinterbein oberhalb vom Sprunggelenk. Nun können Sie den Hund untersuchen und Erstmaßnahmen durchführen. Soll eine Gliedmaße dazu fixiert werden, gehen Sie folgendermaßen vor: Strecken Sie das Bein, indem Sie am Vorderbein von oben und hinten gegen den Ellenbogen drücken, beim Hinterbein drücken Sie stattdessen von oben und vorne gegen das Knie.

So fixiert ein Helfer den Hund in Seitenlage, damit Sie die Möglichkeit haben, ihn zu behandeln. (Foto: Daniela Neika)

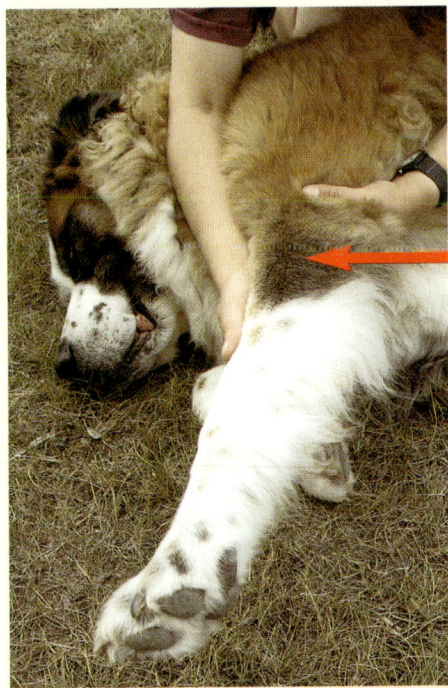

Das Vorderbein wird gestreckt und fixiert, indem man gegen den Ellbogen nach vorne drückt.

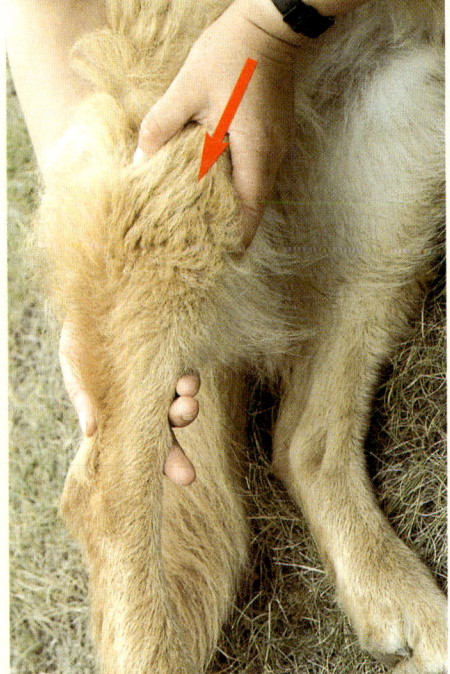

Das Hinterbein wird gestreckt und fixiert, indem man gegen das Knie nach hinten drückt. (Fotos: Daniela Neika)

Die sichere Fixation des Kopfes wurde im Kapitel „Beißschutz anlegen" beschrieben.

LECKSCHUTZ

Hunde lecken bekanntlich ihre Wunden. Entgegen der landläufigen Meinung, dass das Lecken die Wunde reinigen soll, hat es mehr Nach- als Vorteile. Das Lecken reizt, es verlangsamt oder verhindert den Heilungsprozess.

Um das Lecken zu verhindern, gibt es verschiedene Methoden. Je nach Lage der Wunde kann man beispielsweise einen Verband anlegen, ein T-Shirt oder eine Radlerhose überziehen um die Wunde abzudecken. Aufbringen von Bitterpaste, Parfüm, scharfen Salben oder Ähnlichem in der Umgebung der Wunde hat meist keinen Erfolg und kann die Wundheilung beeinträchtigen. Ein sicherer Leckschutz ist der Halskragen, auch Halskrause genannt. Sie erhalten ihn beim Tierarzt, im Zoohandel, oder stellen ihn aus einem Plastikeimer oder -blumentopf selber her.

Wichtig ist, dass er nicht zu klein sein darf, denn sonst ist er sinnlos. Auch Halskragenmanschetten, die wie ein Stifneck (Halskragen im Rettungsdienst zur Ruhigstellung einer verletzten Halswirbelsäule) angelegt werden, sind im Handel. Sie verhindern das Beugen des Halses, sind aber bei wendigen Hunden und Verletzungen im hinteren Körperbereich meist nutzlos, allerdings für den Hund bequemer als der Halskragen.

Bei der Fütterung und beim Spaziergang sollte jeder Halskragen abgenommen werden.

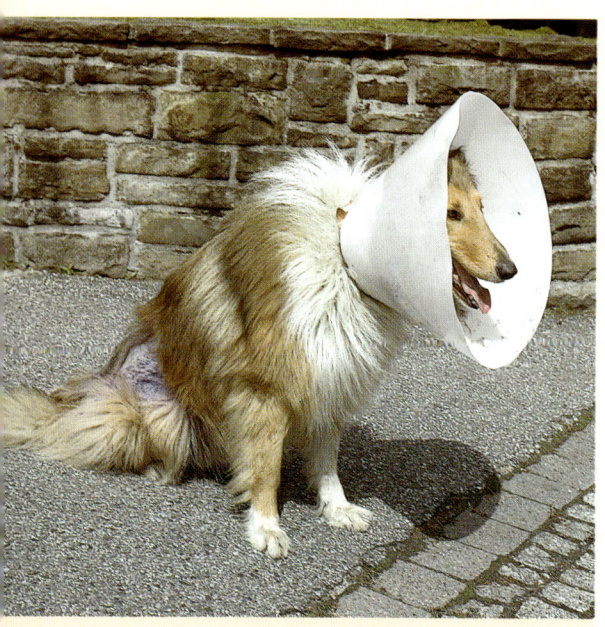

Ein „Elisabethanischer Kragen" verhindert, dass sich Hunde ihre Wunde immer wieder auflecken können. (Foto: Infohund/Eva-Maria Krämer)

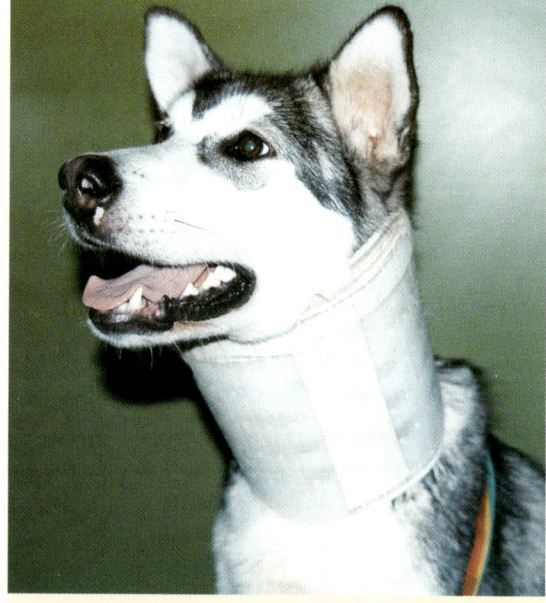

Eine Halskragenmanschette. Der Verschluss wurde zusätzlich mit Klebeband gesichert. (Foto: Tierärztliche Klinik W. Ketter, Löhnberg)

VERBÄNDE ANLEGEN

Das Anlegen eines guten Verbandes will gelernt sein. Ein guter Verband zeichnet sich durch folgende Kriterien aus: Er erfüllt seinen Zweck, das heißt die Blutung wird dadurch gestillt, die Wunde wird geschützt oder die betroffene Gliedmaße wird ruhiggestellt. Er schnürt nicht, er scheuert nicht, er drückt nicht. Er rutscht nicht und wird trocken gehalten. Die Gliedmaße befindet sich in einer physiologischen Haltung.

DAS MATERIAL

Verbände können mit normalen oder elastischen Mullbinden ausgeführt werden. Für den Hundeführer, der nicht tagtäglich Verbände anlegt, empfiehlt sich die Verwendung selbsthaftender elastischer Binden wie zum Beispiel peha-Haft™.

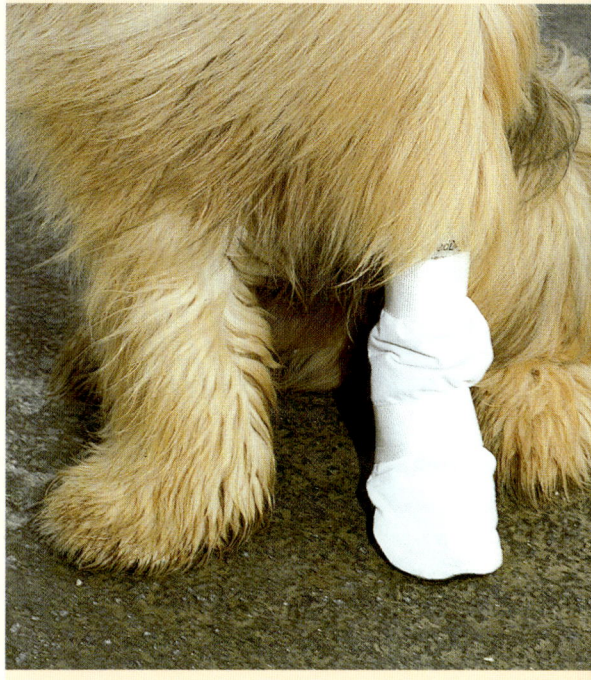

Wenn's schnell gehen soll: ein MedDog's® Erste-Hilfe-Schnellverband, der wie ein Strumpf übergezogen wird. (Foto: Manuela Eckenbach-Arndt)

WARNUNG!

Was leider den meisten Hundehaltern nicht bekannt ist, ist folgende Tatsache: Ein Verband, der falsch angelegt wurde, kann die Blutzirkulation des betroffenen Gliedes unterbrechen. Schon nach einer Stunde ist das Bein so geschädigt, dass meist nur noch die Amputation bleibt! Selbst in leichteren Fällen bilden sich abgestorbene und bald faulende Gewebebezirke, die chirurgisch entfernt werden müssen. Solche Wunden heilen, wenn überhaupt, nur sehr schwer. Scheuernde oder drückende Verbände führen zu Geschwüren, die aufgrund des geringen Weichteilgewebes an den Gliedmaßen rasch so tief werden, dass Sehnen und Knochen freiliegen. Solche Stellen heilen nur sehr langsam.

Das A und O eines guten Verbandes beim Hund ist daher eine ausreichende Polsterung mit Verbandwatte. Im Gegensatz zur Humanmedizin MUSS JEDER Verband mit Watte unterpolstert werden! Sowohl Watte- als auch Bindentouren müssen faltenfrei ausgeführt werden und breit aufliegen. Die Watte muss an den Kanten des Verbandes immer etwas überstehen, damit es nicht zu Abschnürungen oder Scheuerstellen kommt.

Der Bereich zwischen den Zehen und zwischen den Ballen muss mit Watte gepolstert werden. (Foto: Manuela Eckenbach-Arndt)

Sie haben den Vorteil, dass sie sich den Rundungen des Körpers anpassen, ohne zu verziehen, sie lassen sich einfach und sicher strammziehen und rutschen nicht so schnell wie Mullbinden. Sie erhalten diese Binden beim Tierarzt oder in der Apotheke. Die optimale Breite beträgt sechs bis acht Zentimeter. Die Verbandstechniken bei elastischen und unelastischen Mullbinden sind unterschiedlich. Sie sollten beides beherrschen.

Als Watte eignet sich am besten Verbandwatte auf Rollen (Kunstfaserwatte). Zur Not geht es auch mit loser Watte „aus der Tüte", sie lässt sich allerdings nicht so schön anlegen. Wenn Sie keine Watte zur Verfügung haben, sollten Sie sich gut überlegen, ob ein Verband bis zum Tierarztbesuch unbedingt notwendig ist; Ersatzstoffe wie dicke Zellstofflagen haben bei weitem nicht denselben Polsterungseffekt. Als letzte Lage des Verbandes nehmen Sie luftdurchlässiges Textilklebeband. Die optimale Breite beträgt fünf Zentimeter.

VERBAND WECHSELN

Beherrschen Sie das Verbandanlegen, können Sie nach Absprache mit dem Tierarzt Folgeverbände selber wechseln. Ein gut sitzender Verband kann in der Regel drei Tage liegenbleiben. Kontrollieren Sie den Hund und den Verband innerhalb der ersten drei Stunden nach Anlegen eines neuen Verbandes regelmäßig, besonders in der ersten Stunde. Immer, wenn der Verband feucht geworden ist, wenn er rutscht,

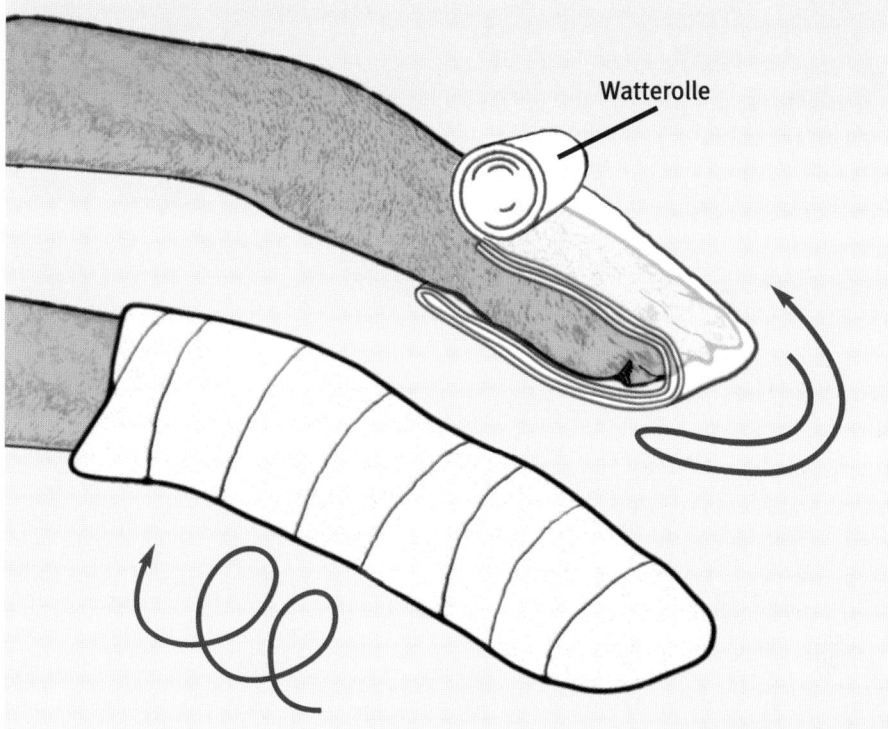

Watterolle

Anlegen des Pfotenverbandes: Mit der Watterolle einmal vor und zurück über die Pfote, dann straff von unten nach oben bis über das Sprung- beziehungsweise Handgelenk und wieder zurück zirkulär binden, am oberen Rand ein bis zwei Zentimeter Watte überstehen lassen, damit der Verband nicht drückt. Das Ganze in derselben Reihenfolge mit einer elastische Binde oder einem Klebeverband sichern.

wenn er übel riecht oder Eiter- beziehungsweise Blutspuren sichtbar werden, muss er sofort abgenommen werden. Kontrollieren Sie die Wunde und suchen Sie nach Druck- oder Scheuerstellen. Wenn Sie irgendetwas Seltsames feststellen, suchen Sie den Tierarzt auf!

Wenn der Hund deutliches Interesse am Verband zeigt und ihn benagt und beleckt, stimmt meist etwas nicht, zum Beispiel könnte die Blutzirkulation gestört sein. Nehmen Sie den Verband sofort ab. Die wenigsten Hunde gehen an ihren Verband, wenn dieser gut sitzt. Ganz selten hat man es mit „Nagetieren" zu tun, die sich jeden Verband sofort abreißen. Solche Hunde sollten dann einen Maulkorb oder einen Halskragen tragen.

DER PFOTEN- UND GLIEDMASSEN-VERBAND

Der sicherlich häufigste Verband ist der Pfotenverband. Jeder Gliedmaßenverband beginnt mit dem Pfotenverband (Ausnahme: Robert-Jones-Verband, siehe Knochenbrüche). Lassen Sie sich, wenn möglich, den Hund von einem Helfer in der Seitenlage fixieren. Das zu behandelnde Bein liegt oben und wird vom Helfer festgehalten. Achten Sie beim Anlegen des Verbandes darauf, dass es nicht zu steil gestreckt wird, sondern sich in normaler Stellung befindet. Sorgen Sie für ausreichend Licht und legen Sie sich alles, was Sie brauchen, bereit: Bei Bedarf Betaisdona™, Splitterpinzette, Wasserstoffperoxid in Spritze. Ansonsten: Mullkompresse, Watterolle,

Wattestreifen für Zwischenzehenpolsterung, Binde, Schere, Klebeband (eventuell schon Streifen abreißen oder -schneiden).

Decken Sie offene Wunden mit einem Stück Mull ab, damit sich keine Watte darin verkleben kann. Polstern Sie jeden Zwischenzehenraum (Daumen- und Wolfskrallen nicht vergessen) und die Spalten zwischen den Ballen mit den Wattestreifen.

Nehmen Sie die Watterolle in die Hand und rollen Sie sie am Bein entlang. Legen Sie zunächst eine doppelte Lage Watte so über die Pfote, dass die Krallen bedeckt sind. Dann wickeln Sie zirkulär (jede neue Runde sollte dabei wie ein Dachziegel die vorige überlappen) von unten nach oben bis über das Sprung- beziehungsweise Handgelenk und wieder zurück. Tasten Sie

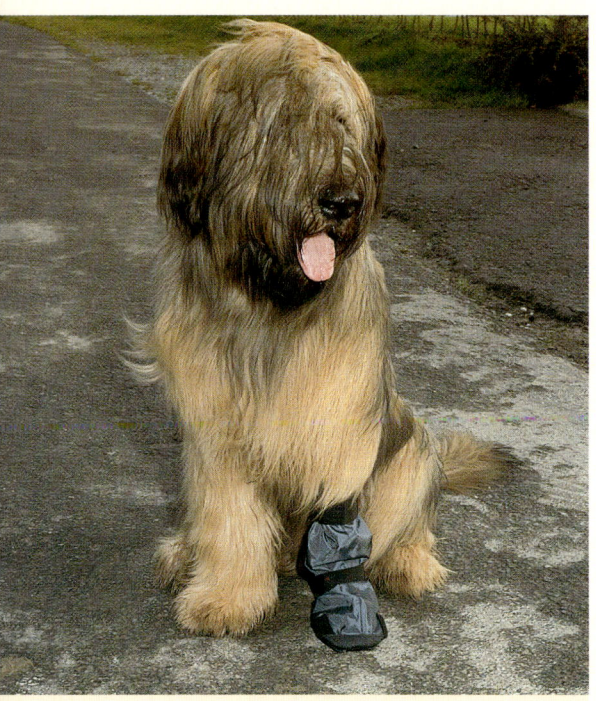

Ein robuster und haltbarer Pfotenverbandschutz aus Neopren von Medi-Cheval®, der bei Spaziergängen übergezogen wird. (Foto: Manuela Eckenbach-Arndt)

nach den Knochenvorsprüngen, sie müssen gut gepolstert sein. Nun nehmen Sie die Bindenrolle so in die Hand, dass Sie damit am Bein entlangrollen können. Haben Sie eine elastische Binde, gehen Sie nach derselben Technik vor wie mit der Watte.

Legen Sie jede Tour straff an und ziehen Sie die Binde mit dem Handballen stramm. Wenn Sie gut genug gepolstert haben, kann nichts passieren; zu locker oder ungleichmäßig gewickelte Verbände dagegen rutschen schnell, werden verloren, schnüren oder scheuern. Der Verband soll sich fest anfühlen und keine „Würste" bilden. Das Ende der Binde kleben Sie mit einem Stück Klebeband fest.

Steht Ihnen nur eine Mullbinde zur Verfügung, gehen Sie etwas anders vor. Wickeln Sie zunächst direkt oberhalb der Pfote zwei bis drei Touren rund um das Bein, lassen Sie dabei das Bindenende etwa zehn Zentimeter überstehen. Binden Sie nun die Zehenspitzen ein, indem Sie die einzelnen Bindetouren am hochgehaltenen Bindenende verankern und abwechselnd mit zirkulären Touren ober- und unterhalb dieses „Zipels" festlegen.

Bei einer Verletzung oberhalb des Sprung- oder Handgelenks binden Sie den Verband entsprechend höher. Immer aber müssen Sie alles, was unterhalb davon liegt, in den Verband mit einbinden!

Legen Sie die einzelnen Watte- und Bindentouren dachziegelartig überlappend an, damit der Verband nicht rutscht. Anschließend wird die Pfote mit Klebeband eingepackt. Auch den restlichen Verband kann man mit Klebeband umwickeln, was vor Verschmutzungen und

Feuchtigkeit schützt, aber recht teuer ist. Den oberen Rand des Verbandes kleben Sie locker mit einem vorher abgerissenen Klebebandstreifen ab, damit dieser nicht schnürt. Er soll nur den Hund davon abhalten, die überstehende Watte herauszurupfen. Ein Verband, der nur durch das Klebeband festgehalten wird, ist falsch angelegt.

Wenn der Hund raus muss, sorgen Sie für einen Nässeschutz. Plastiktüten und Latexhandschuhe laufen sich schnell durch und sind nur für sehr kurze Wege sinnvoll. Lange Spaziergänge sollten Sie sowieso unterlassen, wenn der Hund einen Verband trägt; die Wunde braucht Ruhe für die Heilung.

Es sind verschiedene Pfotenschuhe aus Gummi, Neopren (Medi-Cheval®), Leder oder anderen Materialien auf dem Markt. Achten Sie beim Kauf auf eine ausreichende Größe, die auch noch über die verbundene Pfote passt. Oft sind selbst die XL-Größen noch zu klein.

Als preiswerte Alternative können Sie einen Putzhandschuh nehmen, die Finger nach innen umstülpen oder außen mit Klebeband sicher festkleben und diesen Schuh der Hundepfote mit Klebeband exakt anpassen. Solch ein Klebeband-verstärkter Schuh hält erstaunlich lange. Nehmen Sie zu Hause jede Art von Nässeschutz ab, damit der Verband atmen kann.

DER DRUCKVERBAND

Das Anlegen eines Druckverbandes hat nur Erfolg, wenn das blutende Gefäß gegen den darunterliegenden Knochen gepresst und somit verschlossen wird. Deshalb sind Druckverbände am Hals oder Bauch nicht möglich. Im Leisten- oder Achselbereich sowie an der Vorderbrust ist das Anlegen eines Druckverbandes ausgesprochen schwierig.

Ein manuelles Zudrücken der Blutung mit den Fingern ist meist erfolgversprechender, hier ist das Stillen einer möglicherweise lebensgefährlichen Blutung wichtiger als die Sterilität. Das Anlegen des Druckverbandes wird im Kapitel „Blutungen" beschrieben.

DER KOPFVERBAND

Bei stark blutenden Kopfverletzungen, aber auch bei Ohrverletzungen wird das Anlegen eines Kopfverbandes notwendig. Warnung! Ein falsch angelegter Kopfverband kann rutschen und den Hund erdrosseln! Legen Sie Kopfverbände daher nur an, wenn es sein muss, und lassen Sie den Hund nicht aus den Augen.

Decken Sie zunächst die Wunde mit Mull ab. Dann legen Sie Wattetouren um Scheitel, Unterkiefer und Nacken.

Anschließend binden Sie mit einer Binde zirkulär vom Scheitel um den Unterkiefer, hinter dem gegenüberliegendem Ohr und über Kreuz über den Scheitel wieder nach vorne.

Achten Sie darauf, dass Sie den Hund dabei nicht strangulieren! Lassen Sie an allen Kanten immer ein bis zwei Zentimeter Watte überstehen. Auf diese Weise lässt sich auch ein Druckverband anlegen. Abschließend kleben Sie den Verband mit Klebeband ab.

Ein Ohrverband muss nur angelegt werden, wenn die Ohrverletzung stark blutet

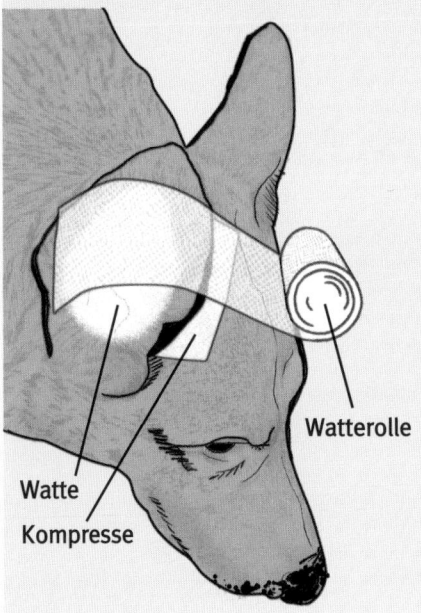

Der Ohrenverband: Die Wunde mit einer Kompresse abdecken und das Ohr nach oben aufklappen. Es soll möglichst flach aufliegen. Die obenliegende Innenseite des Ohres wird mit Watte gepolstert. Anschließend geht man wie beim Kopfverband vor, wobei der Verband nur am gesunden Ohr verankert werden kann.

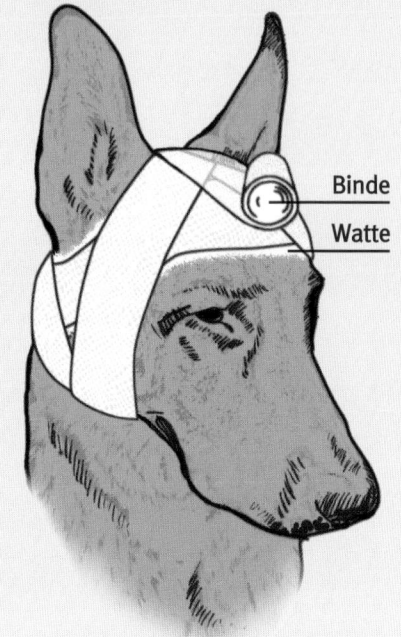

Der Kopfverband: Führen Sie die Watterolle wie auch später die Binde abwechselnd vor und hinter den beiden Ohren herum und überkreuzen Sie auf dem Scheitel und unter dem Unterkiefer. Einige Haltetouren führen Sie dazu im Wechsel um den Nacken.

und durch Fingerdruck nicht gestillt werden kann, auch um ein Schlackern des Ohres beim Kopfschütteln und damit weitere Blutungen zu verhindern. Das Anlegen eines Augenverbandes wird zum Glück nur selten nötig sein, da der Hund das betroffene Auge von sich aus zukneift und somit bis zum Tierarztbesuch vor weiteren Schäden schützt (siehe Augenverletzungen).

Die wenigsten Hunde dulden einen Augenverband, zumal stets beide Augen verbunden werden müssen. Überlassen Sie es besser dem Tierarzt, einen Verband anzulegen und entsprechende Maßnahmen zu ergreifen, und sorgen Sie bis dahin dafür, dass der Hund sich nicht am Auge kratzt oder scheuert.

DER BRUSTVERBAND

Brustverbände werden aus drei Gründen angelegt: Entweder man hat es mit einer stärkeren Blutung zu tun, die mittels Verband oder Druckverband gestillt werden soll, oder es handelt sich um eine Eröffnung der Brusthöhle, durch die Luft eindringen kann, oder aber man benötigt eine Wundabdeckung für großflächige Brand- oder Schürfwunden.

Hat der Hund Rippenbrüche, ist das Anlegen eines Brustverbandes oft sehr schmerzhaft. Wenn sich der Hund stark wehrt, unterlassen Sie den Verband lieber und bedecken die entsprechenden Wunden manuell mit der Wundauflage. Lesen Sie die entsprechenden Kapitel „Brustkorbverletzungen", „Blutungen" und „Brand-

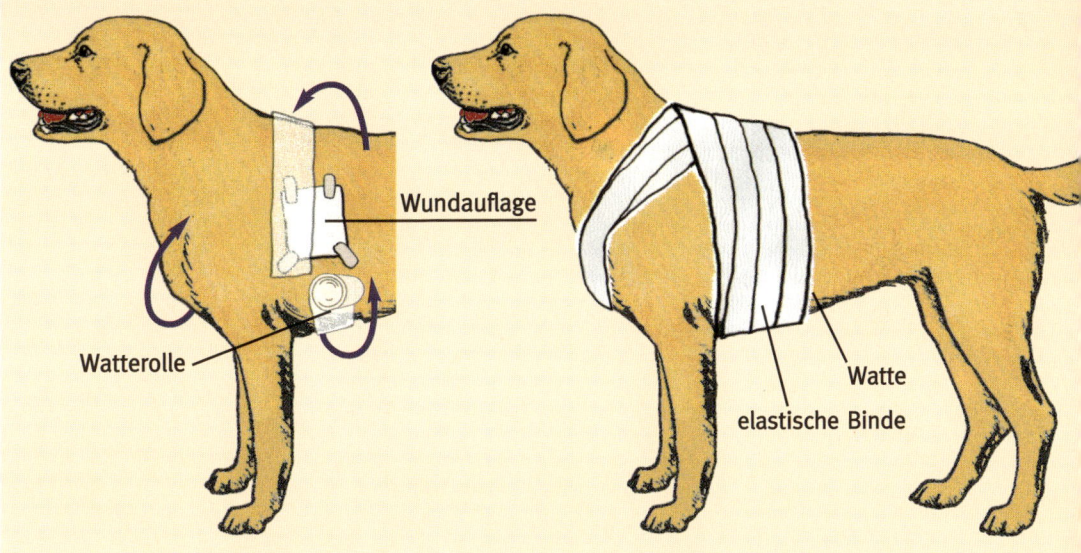

Wundauflage

Watterolle

Watte
elastische Binde

Der Brustverband: Auf die Wundauflage folgt die Wattepolsterung. Führen Sie die Watte zirkulär um den Brustkorb, zwischen den Vorderbeinen hindurch nach vorne und über die gegenüberliegende Schulter hinauf zum Widerrist und von dort wieder nach unten. Machen Sie das Ganze auch mit der anderen Seite und mit den zirkulären Brusttouren abwechselnd, ohne dabei die Wickelrichtung zu ändern. Anschließend binden Sie genauso mit der Binde, dabei die Binde ausreichend straff anziehen, aber lassen Sie an allen Kanten Watte überstehen. Weder der Hals noch der Bauch dürfen dabei gedrückt werden. Auch in den Achselhöhlen darf der Verband nicht schnüren. Sichern Sie das Verbandende und die einzelnen Touren mit Klebeband.

verletzungen" und decken Sie die Wunden entsprechend ab.

DER BAUCHVERBAND

Auch ein Bauchverband ist nur bei großflächigen Wunden (Brand- oder Schürfwunden), bei stark blutenden Verletzungen oder bei Eröffnung der Bauchhöhle notwendig. Decken Sie die Wunde entsprechend der jeweiligen Verletzung ab (siehe Kapitel Bauchverletzungen, Schürfwunden, Blutungen, Brandverletzungen).

Anschließend polstern Sie den Bauch in Runden mit Watte. Bei Rüden müssen Sie die Penisöffnung umgehen, damit der Hund Urin absetzen kann. Anschließend wickeln Sie die Binde recht straff ebenso zirkulär um den Bauch, aber ohne die

Atmung zu beeinträchtigen. Lassen Sie an den Kanten Watte überstehen. Da der Verband vorne durch den tiefen Brustkorb und hinten durch die Hinterbeine in seiner Lage gehalten wird, können Sie nun das Bindenende und die Verbandstouren mit Klebeband abkleben.

Sollte die Verletzung weiter hinten in der Leistengegend liegen, müssen Sie den Verband in Achtertouren auch zwischen den Hinterbeinen hindurch und über die Kruppe führen.

Seien Sie vorsichtig mit den Hoden, sie vertragen keinen Druck. Auch das Freilassen des Scheideneingangs (Urinabsatz) bei der Hündin ist schwierig, aber für den Transport zum Tierarzt wird der Verband ausreichen.

Nur in der richtigen Reihenfolge

Wenn Ihr Hund einen Unfall hatte, müssen Sie befürchten, dass er mehrere Verletzungen der verschiedensten Körperteile und Organsysteme hat, man nennt das ein Polytrauma. Dieses Kapitel soll Ihnen eine Hilfe sein, wenn Sie im Notfall nicht sicher sind, wo Sie anfangen sollen, weil Ihr Hund alle möglichen Verletzungen gleichzeitig hat.

Sie müssen den Hund zunächst kurz untersuchen, um einen Überblick über seine Verletzungen und seinen Zustand zu bekommen, das heißt Sie machen einen so genannten „Body-check". Wenn Sie diese Untersuchung systematisch und komplett durchführen, entgehen Ihnen keine unscheinbaren, aber gefährlichen Verletzungen, die Sie sonst übersehen könnten. Ihre Aufmerksamkeit könnte sonst beispielsweise durch einen eindrucksvollen, aber nicht lebensbedrohlichen Beinbruch voll

in Anspruch genommen werden, obwohl der Hund gleichzeitig unbemerkt erstickt oder an einem Schock stirbt.

Anhand Ihrer Befunde, die Sie innerhalb kürzester Zeit erheben können (so genannte Ein-Minuten-Diagnose), erkennen Sie die Dringlichkeit der einzelnen Verletzungen und können Prioritäten aufstellen, welche die Reihenfolge der Erstmaßnahmen bestimmen. So können Sie auch, wenn Sie alleine oder nur zu zweit sind, einen verletzten Hund optimal versorgen, bis Sie beim Tierarzt eintreffen.

DER UNTERSUCHUNGS- UND BEHANDLUNGSGANG

Erste Frage: Was ist passiert? Aufgrund des Unfallmechanismus kann man schon einige Rückschlüsse auf zu erwartende Verletzungsmuster ziehen. (zum Beispiel: Wurde der Hund von einem Auto angefahren?) Zweite Frage: Wann ist es passiert? Das beinhaltet auch die Frage: Wie lange ist der Hund noch selber gelaufen? Man kann Rückschlüsse ziehen, wieviel Blut verloren wurde und in welchem Schockstadium sich der Hund befinden kann.

Von jetzt an untersuchen Sie den Hund systematisch von vorne nach hinten, und zwar „sortiert" nach den jeweiligen Organsystemen, die bei einer Verletzung als Erstes versorgt werden müssen. Als Eselsbrücke für die Reihenfolge dienen die Buchstaben A bis F des Alphabets. Es bedeutet nicht, dass die am Schluss genannten Verletzungen in der Reihenfolge unwichtiger sind oder übersehen werden dürfen; auch sie sind sofort zu versorgen.

Solange es nur in wenigen Städten einen Tier-Notarztwagen gibt, ist ein schneller Transport zum Tierarzt genauso lebensrettend wie alle anderen Erste-Hilfe-Maßnahmen. Im Optimalfall führen Sie die Erstmaßnahmen während des Transports zum Tierarzt durch, dadurch entstehen kaum Zeitverluste.

Nach einem schweren Unfall muss der Hund in der Reihenfolge der lebenswichtigen Funktionen untersucht werden. (Foto: Manuela Eckenbach-Arndt)

A WIE ATEMWEGE

Atmet der Hund noch? Sind die oberen Atemwege (Fang, Nase, Rachen, Hals) frei durchgängig? Gibt es Knochenbrüche im Bereich des Gesichtsschädels, besteht Nasenbluten? Sind die Schleimhäute zyanotisch (bläulich gefärbt)? Gibt es Wunden im Halsbereich, ist die Luftröhre betroffen? Wie atmet der Hund, zu schnell? Zu langsam? Atemnot? Atemgeräusche? Vermehrt Bauchatmung? Schmerzen bei der Atmung? Bestehen Wunden am Brustkorb? Fühlt man Verformungen der Brustwand? Knistert die Haut beim Darüberstreichen?

Stellen Sie starke Einschränkungen der Atmung fest, müssen Sie diese zuerst behandeln.

B WIE BLUTKREISLAUF

Schlägt das Herz noch? Bestehen augenscheinlich größere Blutungen? Gibt es Anzeichen eines hypovolämischen Schocks (durch großen Verlust von Blut oder Gewebsflüssigkeit)? Sind die Schleimhäute blass, ist die kapilläre Rückfüllungszeit verlängert? Wie sind Pulsfrequenz, -rhythmus und -qualität? Füllung der Episkleralgefäße?

Wenn Sie einen Herzstillstand, starke Blutungen oder einen Schock feststellen, müssen Sie diese nun nacheinander oder mit einem Helfer gleichzeitig behandeln. Die Reanimation umfasst selbstverständlich gleichzeitig Atmung und Kreislauf!

C WIE CENTRALES NERVENSYSTEM

Ist der Hund bei Bewusstsein? Wach? Hat er Krämpfe? Ansprechbar? Kann er sich bewegen? Sind die Reflexe vorhanden, reagieren die Pupillen gleichseitig auf Licht, schließt sich das Auge bei Berührung, reagiert der Hund an allen Pfoten mit Wegziehen, wenn man ihn in die Zwischenzehenhaut kneift? Ist das Tier oder sind einzelne Körperteile schlaff, gelähmt? Reagiert der Hund übertrieben auf die Reflexproben?

Haben Sie den Verdacht, dass es sich um eine Verletzung des Gehirns oder des Rückenmarks handelt, leiten Sie an diesem Punkt entsprechende Erstmaßnahmen ein!

Jetzt erst, nachdem die primär lebensbedrohlichen Verletzungen versorgt sind, können Sie sich um weiterführende Untersuchungen kümmern.

D WIE DIGESTIONSTRAKT, (DARMTRAKT, VERDAUUNGSTRAKT) UND E WIE EXKRETION (NIEREN, BLASE)

Sind tiefe Bauchwunden zu erkennen, sind Eingeweide vorgefallen? Sehen oder fühlen Sie an der Bauchwand ungewöhnliche Vorwölbungen? Ist die Bauchdecke gespannt? Schmerzhaft? Aufgetrieben? Ungewöhnlich schlaff? Ist Blut am After oder im Kot? Kann der Hund willkürlich Harn absetzen? Ist der Urin blutig? Stellen Sie fest, dass Ihr Hund Anzeichen für Bauchhöhlenverletzungen hat, befassen Sie sich jetzt damit!

F UND G WIE FRAKTUREN (BRÜCHE) UND GELENKVERLETZUNGEN

Kann der Hund alle Gliedmaßen belasten? Besteht eine Lahmheit? Ist eine Gliedmaße ungewöhnlich verformt? Sind beim Bewegen und Abtasten der Gliedmaßen inklusive der Schulterblätter und Beckenknochen ungewöhnliche Beweglichkeit, Knirschen, Schwellungen oder Schmerzhaftigkeit zu beobachten? Sind alle Gelenke frei und in normalem Rahmen zu bewegen, bestehen Schmerzen? Stellen Sie Brüche oder Gelenkverletzungen fest, behandeln Sie diese am Schluss. Sie sehen zwar oft dramatisch aus, sind aber im Gegensatz zu vielen anderen Verletzungen eher harmlos.

ANZEICHEN DES TODES

Wenn Sie den Eindruck haben, dass der Hund tot ist, dürfen Sie jegliche Erstmaßnahmen unterlassen oder abbrechen. Sie können zwar zur Sicherheit einen Tierarzt aufsuchen, verpflichtend ist das aber nicht. Auch beim Tier gibt es einige Verletzungsmuster, die den Tod vortäuschen können, genannt seien hier Ertrinkungs- und Elektrounfälle, tiefe Bewusstlosigkeit und starke Unterkühlung. In vielen Fällen können diese scheinbar toten Tiere durch entsprechende Erstmaßnahmen und die Behandlung durch den Tierarzt ins Leben zurückgeholt werden.

Auch bei dramatisch aussehenden Verletzungen sollte man die Hoffnung nie aufgeben: Sie wären erstaunt, was man alles wieder heilen kann. Geben Sie Ihrem Hund zuliebe nie (zu früh) auf, er hat sich Ihre Bemühungen verdient!

Manchmal wird man den Hund trotz aller Anstrengungen nicht retten können, der Hund ist nun definitiv tot, aber wie erkennt man das sicher? Anzeichen des Todes sind:

1. Die Totenblässe
Sie gilt allein genommen als unsicheres Todeszeichen. Haut und Schleimhaut werden nicht mehr durchblutet, daher erscheinen sie weiß bis grauweiß. Auch bei Blutarmut und im Schock kann die Schleimhaut porzellanweiß aussehen.

2. Die Totenkälte
Sie gilt als unsicheres Todeszeichen. Der Körper kühlt aus und passt sich der Umgebungstemperatur an. Auch bei Unterkühlung und im Schock fühlt sich ein Hund kalt an.

3. Atem- und Herzstillstand
allein gelten als unsichere Todeszeichen, zumal Atmung und Herzaktion soweit herabgesetzt sein können, dass sie ohne technisches Gerät nicht nachweisbar, jedoch noch vorhanden sind und dem Hund ein Überleben ermöglichen können.

4. Austrocknung
ist ein unsicheres Todeszeichen: Zunge, Lippenränder, Nasenspiegel, Lidränder und Hodensack werden trocken, runzelig, borkenähnlich und pergamentartig.

5. Das Totenauge
Die Augäpfel werden schlaff und sinken ein, die Hornhaut wird glanzlos und trübe. Alle Reflexe (Pupillenreaktion, Lidschlussreflex bei Berühren der Hornhaut) sind erloschen, die Pupille ist maximal weit gestellt.

6. Die Totenflecken
Das Blut sackt nach einiger Zeit zu den am tiefsten gelegenen Stellen ab. Dort bilden sich unter der Haut streifige oder fleckige blaurote bis violette Flecken. Diese werden im Laufe der Zeit immer dunkler und sind durch Scheiteln der Haare zu erkennen. Sie lassen sich anfangs durch Druck oder Umlagern des Körpers zum Verschwinden bringen, später geht das nicht mehr.

7. Die Totenstarre
Unmittelbar nach dem Tod sind alle Muskeln erschlafft, Kot und Urin gehen ab, manchmal ergießt sich Schaum aus dem Maul. Später werden die Muskeln steif, Gelenke lassen sich nicht mehr bewegen.

Die äußerlich feststellbare Totenstarre beginnt am Kopf, dann folgen Hals, Vorderbeine und Hinterbeine (jeweils von oben nach unten). In der Regel tritt die Totenstarre ungefähr nach zwei bis acht Stunden ein und löst sich nach 24 bis 48 Stunden wieder.

8. Fäulnis
Die Totenflecken färben sich grün, der Körper gast auf. Die Oberhaut lässt sich abziehen, die Haare gehen aus.

Wenn es zum Atem- und Herzstillstand gekommen ist, keinerlei Reflexe mehr auslösbar und die Pupillen maximal geweitet sind, ist davon auszugehen, dass der Hund nicht mehr lebt. Nach etwa 15 Minuten treten erste Leichenflecke auf und schließlich auch die restlichen Todeszeichen.

Erstmaßnahmen bei typischen Notfällen von A-Z

ALLERGIE

Eine Allergie kann einen akuten Notfall darstellen, wenn sie vom sogenannten „Soforttyp" ist. Der Hund reagiert unmittelbar nach dem Kontakt mit dem Allergen durch überschießende Abwehrmaßnahmen des Körpers. Chronische Allergien wie Flohspeichel- oder Futtermittelallergien, die in der Regel zu Hautveränderungen führen, gehören in die Hand des Tierarztes und werden hier nicht weiter behandelt.

URSACHEN

Häufig treten akute Allergien bei kurzhaarigen Hunderassen auf. Auslöser können Insektenstiche (siehe entsprechendes Kapitel), verschiedene Nahrungsmittel (besonders Obstsorten) oder Chemikalien sein.

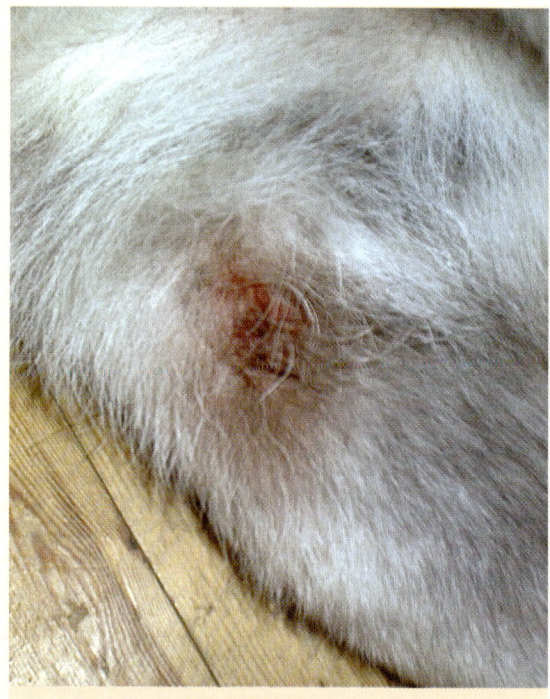

Eine Hautallergie löst vielfach heftige Leck- und Knabberattacken an den betroffenen Stellen aus. (Foto: Manuela Eckenbach-Arndt)

SYMPTOME

Unmittelbar nach dem Kontakt mit dem Allergen benimmt sich der Hund verändert, viele wälzen sich. Schnell treten am ganzen Körper Hautquaddeln auf.

Manchmal besteht quälender Juckreiz. Augenlider, Lippen und Ohrmuscheln können drastisch anschwellen. Die Schleimhäute sind gerötet, die Episkleralgefäße können prall gefüllt sein. An der Rumpfunterseite und den Beinen können sich Ödeme bilden.

Gefährlich sind Schwellungen und Ödeme im Rachen und Kehlkopf, da sie die Atmung behindern und den Hund leicht in Panik versetzen. Gefürchtet ist der anaphylaktische Schock (starker Blutdruckabfall), der ohne Behandlung tödlich ausgeht.

▶ WAS SIE TUN KÖNNEN

Bringen Sie den Hund so schnell wie möglich zum nächsten Tierarzt! Eine akute Allergie kann nur medikamentell wirkungsvoll behandelt werden.

Ist bekannt, dass Ihr Hund Allergiker ist, lassen Sie sich vorbeugend vom Tierarzt die entsprechenden Medikamente geben und ihre Anwendung zeigen, und haben Sie diese stets dabei.

Bis Sie beim Tierarzt eintreffen, verschaffen Sie dem Hund Erleichterung, indem Sie die betroffenen Stellen mit Wasser oder Cool-packs kühlen. Bieten Sie dem Hund kühles Trinkwasser an, lassen Sie ihn Eis oder kalten Joghurt lecken. Geben Sie dem Hund eine Ampulle Calcium-frubiase™, was oft zu einer leichten Besserung führt.

ATEMNOTFÄLLE

Sie kommen beim Hund zum Glück relativ selten vor. In allen Fällen müssen Sie selbst rasch handeln und den Hund so schnell wie möglich dem Tierarzt vorstellen. Atemnotfall bedeutet, dass der Hund aus irgend einem Grund zu wenig oder gar keinen Sauerstoff mehr bekommt, weil die Atmung behindert ist oder ausfällt.

Atemnot und Atemstillstand sind immer lebensgefährlich. Wie der Mensch erstickt auch der Hund innerhalb weniger Minuten, also bevor ein Tierarzt helfen kann. Der Hund ist deshalb in erster Linie auf Ihr Eingreifen angewiesen, damit die Zeit bis zur tierärztlichen Behandlung überbrückt werden kann.

URSACHEN

Die Ursachen für Atemnotfälle sind ausgesprochen mannigfaltig. Verlegungen der Atemwege und Atemnot können durch Anschwellung der Schleimhäute (siehe Allergie, Insektenstich), kleine und große Fremdkörper (zum Beispiel Getreidegranne, Tennisball), Luftröhrenkollaps (bei vielen kleinen oder kurzköpfigen Rassen angeboren), Kehlkopfverletzungen (Verletzung durch Kettenhalsband), nach Aspiration (Einatmen) von Wasser, Blut, Futter oder Erbrochenem, durch perforierende Biss-, Stich- oder Pfählungsverletzungen der Luftröhre oder des Brustkorbes, durch Rauchgasvergiftung oder Sauerstoffmangel in der Umgebungsluft, durch stumpfe Gewalteinwirkungen auf den Brustkorb wie Stürze, Tritte oder Autounfälle mit Rippenbrüchen oder Verletzungen der

Schließen Sie die Lefzen um den Fang mit beiden Händen. Sie können ein Taschentuch über die Nase legen, wenn Ihnen das angenehmer ist. Legen Sie Ihren geöffneten Mund über die Hundenase und legen Sie die Lippen dicht an. Beatmen Sie den Hund sanft, bis sich der Brustkorb sichtbar hebt. (Foto: Manuela Eckenbach-Andt)

Lunge ausgelöst werden. Auch verschiedene Vergiftungen, Elektrounfälle oder Schädel-Hirn-Verletzungen können zum Atemstillstand führen. Bei Bewusstlosigkeit können durch falsche Lagerung die Atemwege blockiert werden (siehe auch die Kapitel Brustkorbverletzungen, Pfählungsverletzungen, Vergiftungen, Elektrounfälle, Bewußtlosigkeit, Ertrinkungsunfall, Insektenstich, Fremdkörper, Allergie).

SYMPTOME

Häufig erkennen Sie die Ursache sehr schnell. Der Hund versucht, unter Anstrengung mit offenem Fang zu atmen, die Brust- und Bauchbewegungen sind stark ausgeprägt. Der Hund steht meist breitbeinig, oft sind ungewöhnliche Atemgeräusche wie pfeifen und Ähnliches zu hören.

Der Hund hat einen panischen Augenausdruck, die Schleimhäute und die Zunge sind blau-lila verfärbt. Der Puls geht meist sehr schnell.

Bei einem Atemstillstand sind keine Atembewegungen mehr sicht- und fühlbar. Die Schleimhäute sind blau, manchmal kommt Speichel oder Schaum aus dem Fang. Der Hund wird innerhalb kurzer Zeit bewusstlos und stirbt nach wenigen Minuten.

▶ WAS SIE TUN KÖNNEN

Suchen Sie so schnell wie möglich den nächsten Tierarzt auf! Beruhigen Sie den Hund. Wenn die Ursache für die Atemnot oder den Atemstillstand nicht eindeutig feststeht, kontrollieren Sie Fang und Rachen optisch und durch Abtasten mit dem Finger auf Fremdkörper und entfernen Sie diese. Einen Hund mit Atemnot lässt man in seiner selbstgewählten Schonhaltung oder bringt ihn in Brustlage mit abgespreizten Ellenbogen. Verhindern Sie, dass der Hund sich unnötig bewegt, und sorgen Sie für frische Luft.

Reicht die Spontanatmung nicht aus, um die Schleimhautfarbe wieder zu normalisieren, oder atmet der Hund nicht, müssen Sie ihn beatmen. Es ist absolut nichts Ekliges dabei, da Sie eine Mund-zu-Nase-Beatmung durchführen, Sie bemerken allenfalls einen salzigen Geschmack.

Bringen Sie den Hund in rechte Seitenlage und strecken Sie den Kopf des Hundes, bis der Nasenrücken eine Linie mit dem Rücken bildet. Ziehen Sie kurz an der Zunge und drücken Sie kurz, aber kräftig auf den Brustkorb. Beides löst einen Atemreflex aus. Hilft das nicht, dann müssen Sie den Hund beatmen. Beatmen Sie acht bis zwölf Mal pro Minute, also alle fünf bis sieben Sekunden. Lassen Sie dem Hund Gelegenheit zum Ausatmen, beatmen Sie erst wieder, wenn der Brustkorb sich gesenkt hat. Überprüfen Sie immer wieder die Vitalwerte wie Puls, Atmung und Blutdruck. Setzen Sie die Beatmung fort, bis wieder eine ausreichende eigenständige Atmung (Spontanatmung) einsetzt oder der Tierarzt die Behandlung übernimmt.

Geben Sie erst auf, wenn sich sichere Todesanzeichen zeigen (siehe Anzeichen des Todes).

Leider kommt es immer wieder zu Erstickungsunfällen durch verschluckte Tennis- oder Gummibälle. Werfen Sie niemals einen Tennisball hoch in die Luft, damit der Hund ihn auffängt! Durch die Wucht dringt der Ball leicht bis in den Rachen vor. Lassen Sie Ihren Hund nie mit Bällen aus Gummi oder Ähnlichem spielen, die durch Feuchtigkeit schlüpfrig werden oder die so klein sind, dass der Hund sie versehentlich verschlucken kann. Kleine Fremdkörper, wie Flummis, kann man mit etwas Glück aus der Luftröhre entfernen, indem man den Hund beherzt an den Hinterbeinen hochhebt und kräftig gegen den Brustkorb oder zwischen die Schulterblätter schlägt. Dagegen ist es nahezu aussichtslos, zu versuchen, einen Tennisball aus dem Rachen herauszuholen. Zum Greifen reicht der Platz nicht aus, außerdem ist der Ball durch den Schleim glitschig. Ihr Hund wird innerhalb kürzester Zeit sterben.

AUGENVERLETZUNG

Augenverletzungen stellen immer einen dringenden Notfall dar. Oft ist das Auge nur bei schneller fachtierärztlicher Behandlung noch zu retten.

Augenverletzungen sind unterteilbar in Verletzungen der Umgebung des Auges (Lider), oberflächliche Hornhautverletzungen, perforierende Augenverletzungen und das Hervorstehen oder Herausfallen des Augapfels.

Das kann ins Auge gehen. Katzen können mit ihren Krallen erhebliche Schäden am Auge des Hundes anrichten. (Foto Infohund/Eva-Maria Krämer)

URSACHEN

Augenverletzungen enstehen durch spitze oder stumpfe Gewalteinwirkung auf das Auge, etwa durch Schlag, Tritt, Stoß oder Sturz, durch spitze Gegenstände wie Dornen, Stacheldraht, Äste oder Katzenkrallen. Auch Verätzungen durch Säuren, Laugen oder Kalk können beim Hund vorkommen.

SYMPTOME

Der Hund zeigt Schmerzen und ist meist verstört. Er kneift das betroffene Auge zusammen und lässt es sich nicht oder nur unter Widerstand öffnen. Manchmal ist auch nur die Nickhaut vorgefallen und es tritt vermehrter Tränenfluss auf.

Mitunter sind Kratzer als Unebenheiten auf der Hornhaut zu erkennen. In manchen Fällen sieht man Blut, im schlimmsten Fall ist gallertige Masse ausgetreten. Einen sogenannten Bulbusprolaps, der Vorfall oder das Herausfallen eines Augapfels, erkennt man auf Anhieb. (Meist bei kurzköpfigen Zwergrassen wie Pekinese, Shi Tzu ...)

▶ WAS SIE TUN KÖNNEN

Suchen Sie möglichst schnell einen Tierarzt auf. Bei einem Vorfall des Augapfels geben Sie, wenn vorhanden, reichlich antibiotische Augensalbe auf das Auge (niemals cortisonhaltige Augensalben verwenden!)

Dann nehmen Sie eine Mullkompresse und tränken Sie diese mit physiologischer Kochsalzlösung (Mischverhältnis: 0,9 g Salz entspricht einer Messerspitze auf 100 Milliliter Wasser). Legen Sie diese vorsichtig auf. Steht der Augapfel nur vor, können Sie versuchen ihn vorsichtig zurückzudrücken – die Lider zu spreizen und den Augapfel mit der Kompresse unter leichtem Druck an seinen Platz zurücksetzen.

Hängt das Auge richtig raus, verhindern Sie jeglichen Zug am Augapfel. Durch Überreizung des Vagusnerves (gehört zum vegetativen Nervensystem, versorgt auch das Auge) kann es sonst zu einem plötzlichen Herzstillstand kommen.

Bei den meisten leichten Augenverletzungen reicht es in der Regel, den Hund am Scheuern und Kratzen zu hindern und umgehend dem Tierarzt vorzustellen. Der Hund wird das Auge zusammenkneifen und dadurch schützen. Bei blutenden Verletzungen, bei Grannen oder ähnlichen Fremdkörpern unter den Lidern, wenn Augenflüssigkeit austritt, dürfen Sie auf keinen Fall mit Wasser o.ä. spülen. Der Hund kneift das Auge meist so zusammen, dass Sie in der Regel auf eine Abdeckung mit einer Kompresse verzichten können.

Bei Verätzungen des Auges mit Säuren, Laugen oder Kalk spülen Sie das Auge mit reichlich Wasser – von der Nase weg – aus. In jedem Fall bringen Sie den Hund sofort zum Tierarzt.

BAUCHHÖHLENVERLETZUNG

URSACHE

Bauchhöhlenverletzungen beruhen auf schweren äußeren, spitzen oder stumpfen Verletzungen. Sie können offen (mit Eröffnung der Bauchhöhle und der äußeren Muskel- und Hautschicht, Innereien sind zu sehen oder fallen vor) oder gedeckt sein (Haut ist unverletzt, innere Organe fallen jedoch unter die Haut oder durch das geschädigte Zwerchfell in die Brusthöhle vor und können eingeklemmt werden). Ursachen sind meist Stürze oder Autounfälle (meist gedeckt), Pfählungsverletzungen durch Armierungseisen, Äste, Zaunlatten oder Ähnliches, Beißereien mit anderen Hunden oder Kämpfe mit Wildschweinen (in der Regel offen).

SYMPTOME

Offene Bauchhöhlenverletzungen sind unschwer zu erkennen, wenn Därme und andere Organe aus der Wunde heraushängen oder in der Wunde zu sehen sind.

Manchmal erkennt man aber nur eine Hautwunde im seitlichen oder unteren Bauchbereich, verschiebt man diese, ist jedoch eine Eröffnung der Bauchhöhle zu erkennen oder zu erahnen.

Die Blutungen der Wunden sind unterschiedlich stark, manchmal sogar unauffällig.

Bei gedeckten Bauchhöhlenverletzungen sind oft nur eine ungewöhnliche Form des Bauches oder Schwellungen im Bauch- oder Brustbereich erkennbar, bei Zwerchfellverletzungen besteht meist Atemnot. Immer haben die Tiere ein gestörtes Allgemeinbefinden, hecheln, haben Schmerzen und einen starren Blick.

Immer stellt sich ein oft schwerer Schock ein, der zum Tode führen kann. Bei einer offenen Bauchwunde kommt es unweigerlich zu einer Bauchfellentzündung, die mit Fieber einhergehen kann.

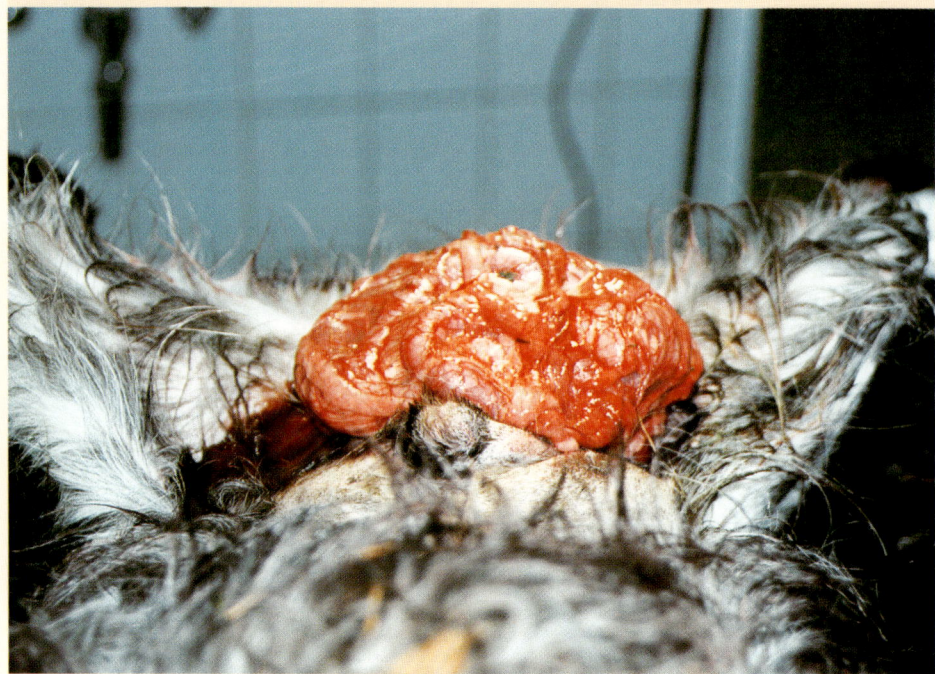

Ein Jagdunfall mit einem Wildschwein, der dramatischer aussieht, als er war: Die Bauchhöhle ist eröffnet, Därme sind vorgefallen, aber nicht verletzt.

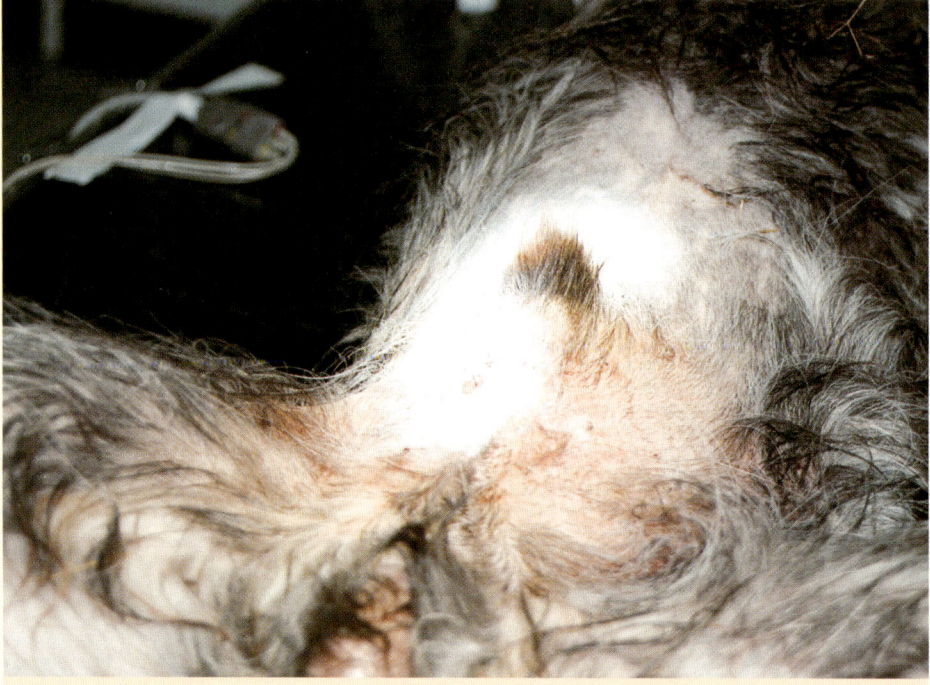

Nach der Operation: Nach wenigen Tagen lief der Hund wieder fit herum. (Fotos: Tierärztliche Klinik W. Ketter, Löhnberg)

▶ WAS SIE TUN KÖNNEN

Lassen Sie den Hund in der von ihm gewählten Haltung. Wenn er bewusstlos oder
schwach ist, bringen Sie ihn in Seitenlage.
Hat er Atemnot, lassen Sie ihn sitzen oder in
Brustlage. Verhindern Sie auf jeden Fall, dass
der Hund in vorgefallene Organe tritt. Halten Sie den Hund warm (Decke, Rettungs-
folie) und beruhigen Sie ihn. Die Wundöff-
nung wird mit einem Brandwundentuch
bedeckt und mit einem Wickelverband verschlossen. Wenn Sie sich das nicht zutrau-
en, schlagen Sie die vorgefallenen Organe in
ein Brandwundentuch ein und halten Sie es
möglichst feucht (zur Not tut's auch Trinkwasser). Hier gilt: Leben geht vor Sterilität!
Sollten an den vorgefallenen Organen stärkere Blutungen auftreten, versuchen Sie,
diese durch Fingerdruck zu stoppen. Fremdkörper wie Äste und Ähnliches belassen Sie
in der Wunde (gegebenenfalls mit Säge oder
Bolzenschneider abtrennen) und bewegen
diese so wenig wie möglich. Der Verband
wird drum herum gewickelt. Bei gedeckten Bauchwunden bewegen Sie den Hund so
wenig wie möglich. Suchen Sie so schnell wie
möglich einen Tierarzt auf, der diese Verletzung umgehend selbst operieren kann.

BEWUSSTLOSIGKEIT

URSACHEN

Bewusstlosigkeit kann auftreten nach
Schädel-Hirn-Traumen (Verkehrsunfall,
Tritt, Sturz), Schock, Sauerstoffmangel,
Sonnenstich, Anfallsleiden, Stoffwechsel-
entgleisungen, Vergiftungen, Ertrinkungs-
unfall, Stromunfall und Ähnlichem.

SYMPTOME

Der Hund reagiert nicht oder nur sehr
schwach auf Geräusche (Ansprechen, Klat-
schen) und Berührungen (Streicheln, leicht
mit der flachen Hand auf den Brustkorb
schlagen, Kneifen der Zwischenzehenhaut).

Puls und Atmung sind vorhanden, die
Schleimhäute sind meist normal.

▶ WAS SIE TUN KÖNNEN

Wenn die Ursachen bekannt sind, stellen
Sie diese nach Möglichkeit ab. Denken Sie
bei Unfallhunden auch an die anderen
Verletzungen, die am besten parallel durch
einen weiteren Helfer versorgt werden.

Bringen Sie den Hund in Seitenlage,
legen Sie – außer bei Kopfverletzungen –
den Kopf tiefer als den restlichen Körper.
Stellen Sie die Atmung sicher, indem Sie

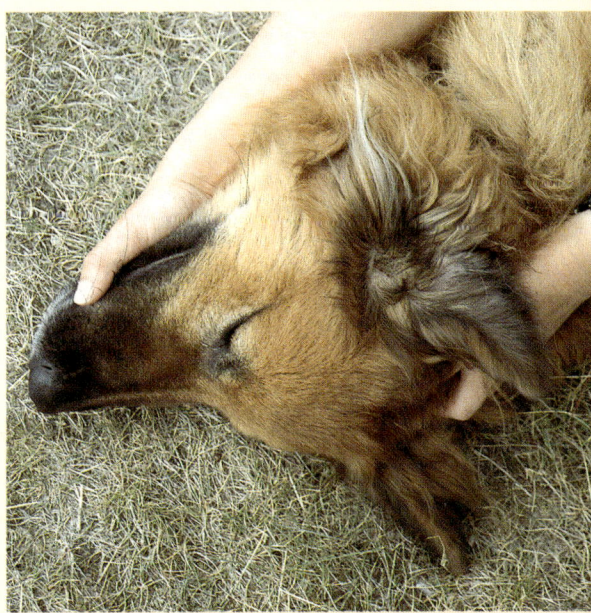

*Bei Bewusstlosigkeit legen Sie den Hund in die Sei-
tenlage und überstrecken etwas den Kopf. (Foto:
Daniela Neika)*

Aus harmlosen Spiel kann urplötzlich Ernst werden und das endet dann häufig blutig. (Foto: Infohund/Eva-Maria Krämer)

den Kopf strecken, die Maul- und Rachenhöhle auf Fremdkörper wie zum Beispiel Erbrochenes untersuchen und dieses entfernen, die Zunge seitlich herausziehen und die Vitalfunktionen ständig überwachen. Halten Sie den Hund warm und bringen Sie ihn schnell zum Tierarzt.

BISSWUNDEN

Bisswunden kommen häufiger vor, als man glaubt. Bei Raufereien verursachen Hunde mit ihren Eckzähnen tiefe, lochförmige Verletzungen, am häufigsten am Hals, an den Läufen, am Rücken oder am Kopf. Sehr oft ist durch Festhalten, Zerren oder Schütteln das darunterliegende Gewebe viel großflächiger gerissen oder gequetscht, als es die sichtbaren Verletzungen erahnen lassen. Durch Bissverletzungen werden immer Bakterien in die Wunde gebracht, die sich entzünden und Abszesse bilden kann. Bei Beißereien mit Füchsen oder Dachsen muss immer an Tollwutgefahr gedacht werden. In einem solchen Fall treten die tierseuchenrechtliche Bestimmungen in Kraft. Ungeimpfte Hunde können getötet werden oder müssen in Quarantäne. Auch für geimpfte Hunde können Quarantäne oder Beobachtung und Leinenzwang angeordnet werden. Eine regelmäßige Tollwutimpfung alle elf Monate ist für das Leben des Hundes und der Menschen, die mit ihm Kontakt haben, daher unbedingt notwendig.

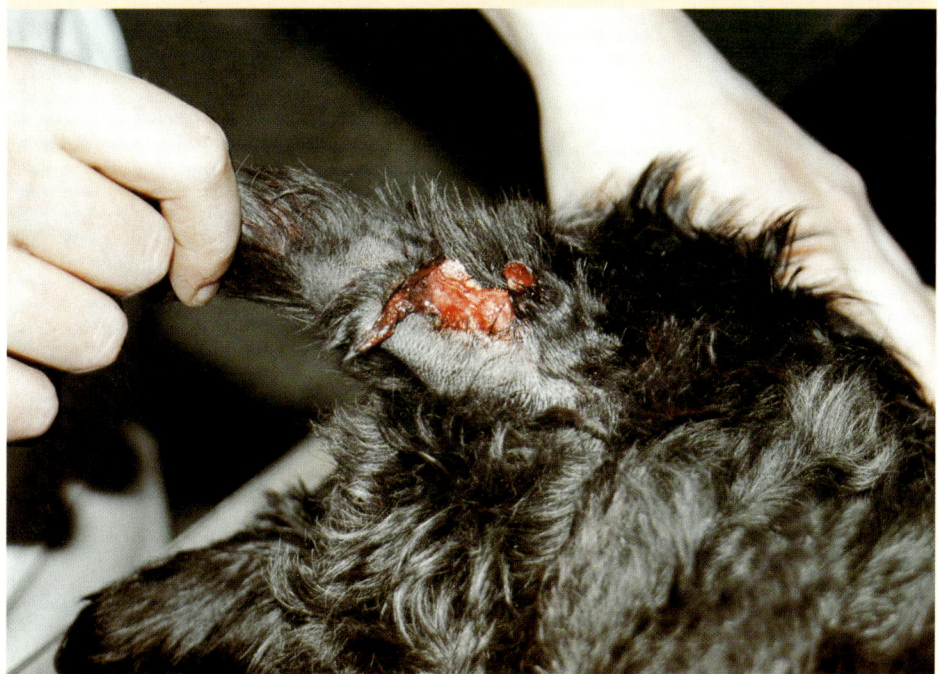

Durch Schütteln und Reißen werden die Wunden noch größer und müssen dann vom Tierarzt genäht werden. (Foto: Tierärztliche Klinik W. Ketter, Löhnberg)

▶ WAS SIE TUN KÖNNEN

Da Bisswunden immer infiziert sind, sollten Sie wegen der notwendigen antibiotischen Behandlung auch bei kleinen Wunden den Tierarzt aufsuchen. Bei größeren Gewebsverletzungen wird der Tierarzt die Wunde unter Narkose nähen und eine Drainage anlegen, welche die Wundflüssigkeit ableitet.

Scheren Sie den Wundbereich vorsichtig und großflächig. Denken Sie dabei auch an den Gegenbiss (Hunde haben vier Eckzähne!). Speichel- oder Blutspuren oder Lecken des Hundes weisen auf weitere Wunden hin. Spülen Sie die Wunde mit dreiprozentiger Wasserstoffperoxid-Lösung oder Betaisdona™-Lösung. Beobachten Sie auch nach dem Tierarztbesuch in den nächsten

Tagen die Wunde, ob sich nicht möglicherweise ein Abszess bildet. Übrigens, ist der Eiter beim Hund meist rötlich und wird häufig mit Blut verwechselt.

BLUTUNGEN

Nach Verletzungen von Gewebe aller Art tritt ein mehr oder weniger starker Blutverlust aus beschädigten Blutgefäßen auf.

URSACHE

Äußere Blutungen entstehen durch Verletzungen der Haut und der darunterliegenden Gewebe, dadurch werden die Blutgefäße verletzt, innere Blutungen durch Risse der inneren Organe (Leber, Milz, Lunge) infolge starker Traumata (Sturz, Tritt, Verkehrsunfall), selten durch geplatzte oder abgerissene Blutgefäße (Aneurysma, schwerer Unfall) oder ebenfalls selten durch schlechtes Gerinnungsvermögen (zum Beispiel durch angeborene Bluterkrankheit oder Vergiftung mit Rattengiften wie Cumarin).

SYMPTOME

Äußere Blutungen sind leicht zu erkennen (pulsierend, rinnend, sickernd), unter anderem bei Biss-, Schnitt-, Schürf- oder Stichverletzungen. Innere Blutungen sind schwieriger zu diagnostizieren, Blut kann sich in einer Körperhöhle ansammeln, ohne dass es lange Zeit entdeckt wird.

Symptome für innere Blutungen sind gestörtes Allgemeinbefinden, Unruhe oder Apathie, beginnender Schock (schneller, flacher Puls, der später kaum oder nicht mehr tastbar sein kann, lange KRZ (siehe Seite 17), kaum oder nicht sichtbare Episkleralgefäße), Hecheln, blasse bis weiße, oft trockene Schleimhäute, Schwäche, Durst, manchmal Atemnot oder ein dicker, harter und schmerzhafter Bauch.

▶ WAS SIE TUN KÖNNEN

Alle Verletzungen, die mit stärkeren Blutungen einhergehen, oder Hunde, bei denen der Verdacht auf innere Blutungen besteht, müssen unverzüglich dem Tierarzt vorgestellt werden.

Alle Erste-Hilfe-Maßnahmen zielen darauf ab, den Blutverlust zu stoppen. Kleinere Blutungen nach unvorsichtigem Krallenschneiden kann man durch Auftragen von Eisen-III-Chlorid (blustillendes Mittel) stillen. Kleinere Blutungen an anderen Körperstellen stillt man durch längeres manuelles Drücken mit einer sterilen Mullkompresse. Anschließend legen Sie über der Mullkompresse einen Verband an (siehe Verband anlegen). Schleimhautblutungen werden gestillt, indem man die Stelle einige Minuten mit kaltem Wasser, Eis oder Kühlakkus kühlt.

Bei jeder starken Blutung besteht jedoch Schockgefahr! Stillen Sie zunächst die Blutung und bekämpfen Sie anschließend den Schock (siehe Schock). Drücken Sie bei starken Blutungen eine oder mehrere Mullkompressen mit der Hand in die Wunde, lassen Sie nicht nach mit dem Druck, bis Sie sicher sind, dass die Blutung steht oder Sie beim Tierarzt eintreffen. Leben geht vor Sterilität!

Wenn nicht anders möglich, versuchen Sie das blutende Gefäß mit Daumen und Zeigefinger zu ergreifen und zuzudrücken. Lassen Sie erst los, wenn der Tierarzt es Ihnen sagt. Bei stark blutenden Wunden am Schädel oder am Brustkorb können Sie einen Druckverband anlegen.

Stark blutende Rutenverletzungen umwickeln Sie mit einer Lage Verbandwatte und wickeln zirkulär ein bis zwei Lagen Textilklebeband straff darüber. Die Blutversorgung der Schwanzspitze wird dadurch nicht beeinflußt.

Stark blutende Extremitätenverletzung sind etwas anders zu behandeln. Drücken Sie zunächst am Hinterbein die Oberschenkelschlagader ab. Am Vorderbein ist ein Abdrücken schlecht möglich. Hier können sie einen sogenannten Esmarch anlegen. Die gleiche Methode wählen Sie, wenn ein Abdrücken am Hinterbein kei-

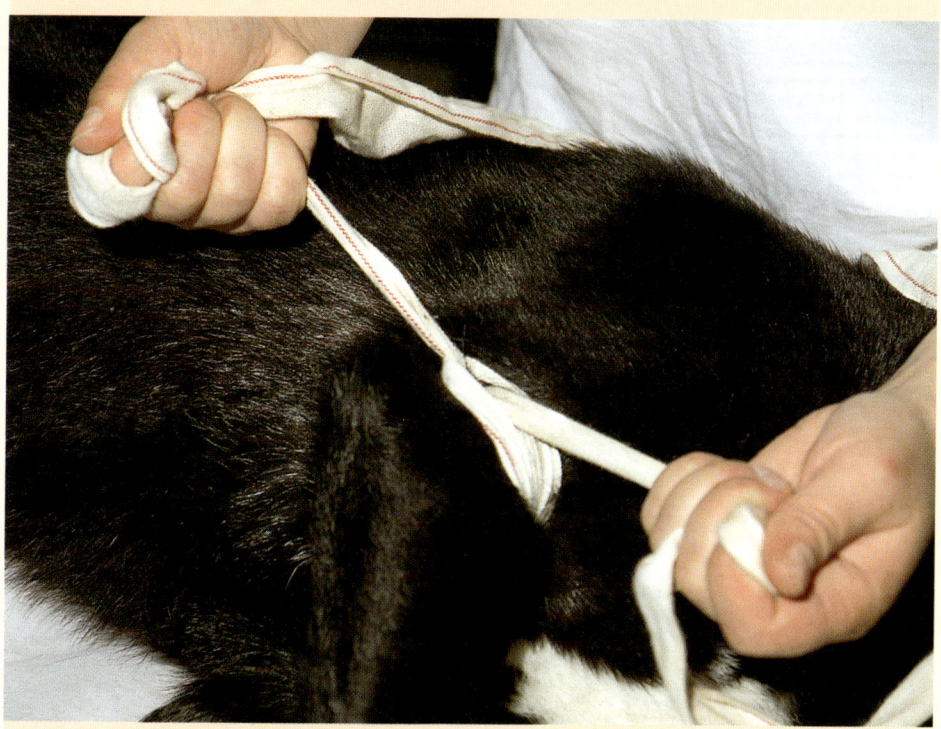

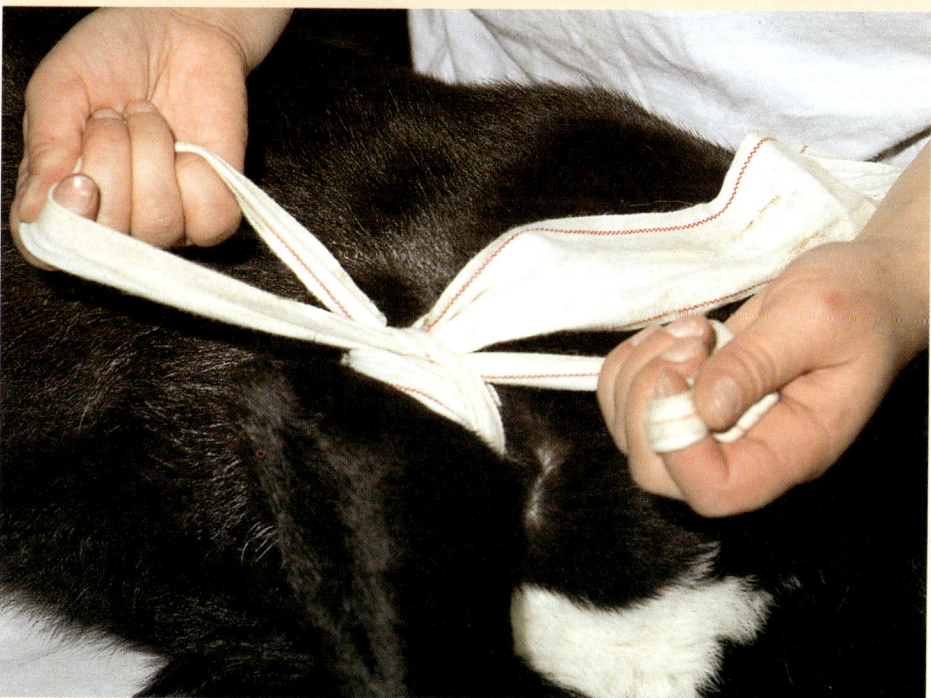

Legen Sie den Esmarch oberhalb oder unterhalb vom Ellenbogen beziehungsweise Knie an. Ziehen Sie ihn so fest, dass die Blutung steht. Machen Sie eine Halbschleife, die Sie schnell wieder aufbekommen. (Foto: Manuela Ecken-bach-Arndt)

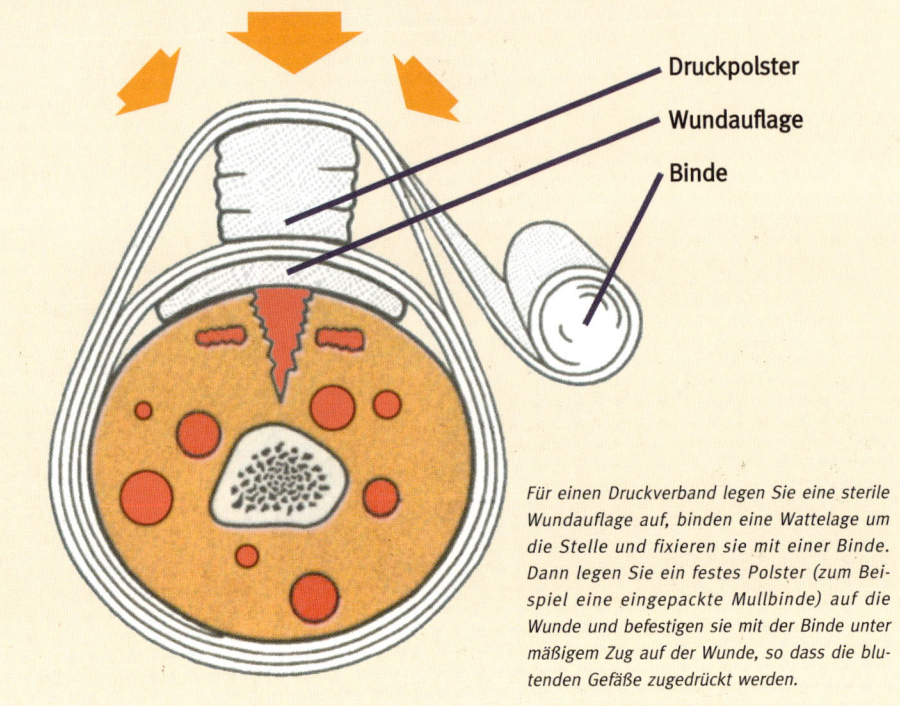

Druckpolster
Wundauflage
Binde

Für einen Druckverband legen Sie eine sterile Wundauflage auf, binden eine Wattelage um die Stelle und fixieren sie mit einer Binde. Dann legen Sie ein festes Polster (zum Beispiel eine eingepackte Mullbinde) auf die Wunde und befestigen sie mit der Binde unter mäßigem Zug auf der Wunde, so dass die blutenden Gefäße zugedrückt werden.

nen Erfolg hat, oder wenn Sie alleine sind. Beim Esmarch handelt es sich um eine Abbindung mittels eines Gummischlauchs oder einer elastischen Binde (Schnauzenband).

Das längere Anlegen eines Esmarch ist für den Hund sehr unangenehm, er wird versuchen, sich zu wehren. Als Beißschutz verwenden Sie das zweite Schnauzenband.

Bei Beinverletzungen oberhalb der Pfote legen Sie zunächst einen regelrechten Pfotenverband und an der verletzten Stelle eine Druckverband an. Im Gegensatz zur Humanmedizin darf der Esmarch dann wieder gelöst werden. Schauen Sie auf die Uhr, denn er darf maximal eine Stunde liegen bleiben.

Sollte der Druckverband durchbluten, versuchen Sie es mit einem weiteren Druckpolster über dem ersten. Funktio-

niert das immer noch nicht, drücken Sie die Stelle mit der Hand zusammen. Sind Sie alleine, legen Sie erneut einen Esmarch an. Suchen Sie umgehend einen Tierarzt auf.

Sollten Fremdkörper (zum Beispiel Glasscherbe) in der Wunde sein, können Sie keinen Druckverband anlegen. Decken Sie die Wunde steril ab, umpolstern Sie den Fremdkörper und bewegen ihn so wenig wie möglich.

Legen Sie einen Schutzverband an. Befindet sich diese Wunde an einer Gliedmaße, können Sie am Hinterbein die Arterie abdrücken bzw. sonst einen Esmarch anlegen (siehe oben).

Bei größeren Blutverlusten bieten Sie dem Hund reichlich Trinkwasser an, das Sie mit Elektrolyten und Traubenzucker anreichern können.

BRUSTVERLETZUNG

Verletzungen im Brusthöhlen- und Brustkorbbereich entstehen grundsätzlich durch massive Gewalteinwirkung von außen. Je nach Ursache und Unfallmechanismus kann es zu offenen Brustkorbverletzungen (Wunde bis in die Brusthöhle) und inneren Verletzungen der Brustorgane (Lunge, Herz, große Gefäße, Luft- und Speiseröhre) kommen.

URSACHE

Eröffnung des Brustkorbes durch Pfählungsverletzungen, Bisswunden, Stichwunden, tiefe Risswunden. Brusthöhlenorgane können mitbetroffen sein, immer aber kommt es zum Einströmen von Luft in die Brusthöhle, in der normalerweise ein Vakuum herrscht. Durch das Vakuum wird die Lunge gedehnt und passt sich der Brustwand an, so dass durch die Brustkorbbewegungen Atmung ermöglicht wird.

Dringt Luft in den Spalt zwischen Lunge und Brustwand, kommt es zum so genannten Pneumothorax, und die Lunge fällt zusammen. Atmung ist nur noch beschränkt möglich. Auch bei geschlossener Brustwand kann es zum „Pneu" kommen, wenn Lungengewebe verletzt wird und Atemluft aus der Lunge in den Spalt dringen kann.

Tritt wegen einer Verletzung der Lunge oder der Gefäße Blut in den Spalt, spricht man vom Hämatothorax. Das Blut nimmt Raum im Brustkorb in Anspruch, wodurch die Ausdehnung der Lunge und somit die Atmung behindert wird. Gedeckte Verletzungen wie Pneumo- und Hämatothorax sind recht häufig, sie entstehen bei stumpfer, äußerer Gewalteinwirkung, wie Sturz, Autounfall, Tritt oder Ähnliches.

SYMTOME

Verletzungen im Brustkorbbereich (Achtung, auch harmlos erscheinende, kaum blutende Wunden können tief sein), Atemnot (sie kann auch erst nach Stunden auftreten), blaue und blasse Schleimhäute, auffällige Atemgeräusche, knisternde Luftpolster unter der Haut, eventuell blutiger Schaum aus Fang und Nase. Die endgültige Diagnose kann in der Regel nur mittels Abhören und Röntgenbild gestellt werden.

▶ WAS SIE TUN KÖNNEN

Denken Sie bei jedem Unfall an eine Brustverletzung! Beruhigen Sie den Hund und versuchen Sie, ihm die Atmung zu erleichtern: Lassen Sie ihn in seiner Schonhaltung. Reicht die Sauerstoffversorgung nicht aus oder hört der Hund auf zu atmen, beatmen Sie ihn (siehe Atemnotfälle). Bewegen Sie den Hund so wenig wie möglich und halten Sie ihn warm.

Wenn Sie Verletzungen der Brustwand feststellen, versuchen Sie, diese so gut es geht und so schnell wie möglich luftdicht abzudichten. Sie können dazu ein feuchtes Tuch nehmen, das Sie fest auf die Wunde pressen. Ist die Wundfläche sehr groß, legen Sie darüber einen straffen Brustverband an. Aufgepresste Plastikfolien halten nur richtig dicht, wenn vorher das Fell an der Stelle geschoren wird. Belassen Sie Fremdkörper in der Wunde und dichten Sie rundherum gut ab. Bringen Sie den Hund in jedem Fall so schnell wie möglich zu einem Tierarzt.

DURCHFALL/ERBRECHEN

URSACHE

Durchfall und Erbrechen sind nur ein Symptom für eine Krankheit. Die Ursachen reichen von der „Magenverstimmung" durch übermäßiges, zu kaltes, verdorbenes oder falsches Futter über eine Gastritis durch Aufnahme von Schnee oder Anwendung verschiedener Medikamente bis zu Vergiftungen, leichten oder schweren Infektionskrankheiten, Parasitenbefall oder Darmverschluss.

WAS SIE TUN KÖNNEN

Wenn eine harmlose Ursache klar auf der Hand liegt, wie zum Beispiel das Fressen von größeren Mengen Butter, lässt man den Hund einen Tag fasten. Kohlekompretten (ein bis zwei Tabletten alle acht Stunden) oder Algenmehl wirken stopfend. Bieten Sie dem Hund reichlich Trinkwasser oder dünnen schwarzen Tee an, welche Sie mit Elektrolytpulver anreichern können. Am zweiten Tag füttert man eine Diät aus gekochtem Hühnerfleisch, Magerquark oder Hüttenkäse, Reis oder Haferschleim. Hat sich der Zustand deutlich gebessert, kann man zum normalen Futter übergehen, wobei man die Menge über einige Tage bis zur normalen Portion steigert. Beim Welpen, bei unbekannter Ursache oder länger als zwei Tage andauerndem Durchfall, bei Störungen des Allgemeinbefindens, Fieber, Bauchkrämpfen, Blut oder Schleim im Kot, Anzeichen von Darmverschluß oder Magendrehung und anderen ungewöhnlichen Symptomen sollte sofort der Tierarzt aufgesucht werden.

ERFRIERUNGEN

URSACHE

Erfrierungen sind lokale Kälteschäden der Haut und der angrenzenden Geweben, die durch Eiskristall-Bildung im Gewebe oder fehlende Durchblutung entstehen. Erfrierungen sind beim Hund im Gegensatz zum Menschen ausgesprochen selten, da Hunde über wirkungsvollere Kälteschutzmechanismen (Fell, Unterhautfett, Einrollen, Bewegung) verfügen. Erfrierungen können auftreten, wenn peripher gelegene Körperteile (Rutenspitze, Hodensack, Ohrspitzen, Zitzen, aber auch die Zehen) über eine längere Zeit Temperaturen unter dem Gefrierpunkt, oft in Verbindung mit Feuchtigkeit und Wind, ausgesetzt waren.

Kurzhaarige Hunde sind dabei empfindlicher als andere. Vorkommen können Erfrierungen auch, wenn Hunde längere Zeit bewegungslos und ohne isolierende Unterlage beziehungsweise Windschutz bei tieferen Minusgraden abgelegt werden oder direkten Hautkontakt mit tiefgekühlten Metallteilen haben (Lawinensuchhunde, Zwingerhunde).

SYMPTOME

Die betroffene Stelle ist bei leichten Erfrierungen von geringem Ausmaß und (sofern nicht pigmentiert) fahlweiß, kalt und gefühllos. Es kann zur Blasenbildung kommen. Frostbeulen sind beim Tier nicht bekannt. Schwere Erfrierungen sind selten, sie umfassen größere Areale. Die betroffene Stelle ist hart, kalt, weiß oder lila und macht im Ganzen den Eindruck von tiefgefrorenem Fleisch.

beim Rüden

bei der Hündin

Die blauen Stellen zeigen die am häufigsten betroffenen Stellen bei Erfrierungen.

▶ WAS SIE TUN KÖNNEN

Bringen Sie den Hund so schnell wie möglich zum Tierarzt! Ist das nicht möglich, oder ist die Erfrierung nur leicht, muss der betroffene Körperteil erwärmt und somit die Durchblutung wieder in Gang gesetzt werden.

Wichtig ist dabei, dass die Erwärmung schnell vor sich geht, langsame Erwärmung führt zu größeren Gewebsverlusten.

Baden Sie die betroffene Stelle in 38 bis 42° warmen Wasser (Ihre Hand empfindet das Wasser als noch nicht zu heiß). Kontrollieren Sie die Badetemperatur häufig, da das Wasser schnell abkühlt. Die Aufwärmzeit beträgt 20 bis 40 Minuten und ist für den Hund oft schmerzhaft. Verhindern Sie, dass der Hund eine aufgetaute Pfote belastet, er muss getragen werden. Auch direkter Kontakt mit Decken oder Ähnlichem ist sehr unangenehm, legen Sie aus diesem Grund auch keinen Verband an.

Haben Sie bei starken Erfrierungen keine Möglichkeit, diese Art der Erwärmung durchzuführen, sorgen Sie dafür, dass bis zum Eintreffen beim Tierarzt keine langsame Erwärmung eintritt (wie etwa beim Transport im Auto).

Am ehesten geht das mit Kühlakkus oder Eispackungen, die Sie um die betroffene Stelle legen.

Offene Blasen bedecken Sie lose mit einer sterilen Wundauflage. Verhindern Sie, dass der Hund an der erfrorenen Stelle leckt oder gar nagt.

Sie kann beim Erwärmen so stark kribbeln oder schmerzhaft sein, dass unbeobachtete Hunde sich durch Nagen selber starke Verletzungen zufügen können.

Der Heilungsprozess währt bei allen Erfrierungen sehr lange. Im schlimmsten Fall muss mit einem Ausfall des betroffenen Gebietes und seiner Amputation gerechnet werden.

FREMDKÖRPER

(Siehe auch Kapitel Atemnotfälle, Blutungen, Pfählungsverletzungen)

IM AUGE

(Siehe auch Augenverletzungen). Was nicht durch den Tränenfluss ausgespült wird, soll nur der Tierarzt entfernen! Hindern Sie den Hund am Scheuern und beruhigen Sie ihn.

IM OHR

Bei Hunden, die in den Sommermonaten in Feldern und Wiesen herumtoben, sind Gras- oder Getreidegrannen im Ohr sehr häufig.

SYMPTOME

Der Hund schüttelt ständig mit dem Kopf und hält ihn zur betroffenen Seite hin schief. Meist sind Teile der Granne noch in der Tiefe zu erkennen.

▸ WAS SIE TUN KÖNNEN

Schafft der Hund es nicht, die Granne nach kurzer Zeit herauszuschütteln, verhindern Sie möglichst weiteres Schütteln, Scheuern und Kratzen, da es dadurch zu Verletzungen des Trommelfells und der Ohrmuschel kommen kann. Versuchen Sie vorsichtig, oberflächlich sitzende Grannen mit einer abgerundeten Pinzette zu greifen.

Nehmen Sie bei Abwehrbewegungen sofort die Pinzette weg, da sie den Gehörgang verletzen und die Granne noch tiefer schieben können.

Wenn Sie den Fremdkörper nicht auf Anhieb zu fassen bekommen, suchen Sie möglichst bald einen Tierarzt auf.

IM MAUL/RACHEN

Oft sind es nur Knochen- oder Holzteile, die sich zwischen den hinteren Zähnen verklemmt haben. Manchmal steckt auch eine Nähnadel in oder neben der Zunge.

Der Faden ist dann meist abgeschluckt. Auch können sich Fäden um die Zunge legen, deren Ende ebenfalls abgeschluckt wird.

SYMPTOME

Der Hund ist unruhig, speichelt, fährt sich mit den Pfoten ans Maul, scheuert den Kopf am Boden und kann manchmal den Fang nicht richtig schließen.

▸ WAS SIE TUN KÖNNEN

Festgeklemmte Holz- oder Knochensplitter versuchen Sie durch ruckelnde Bewegungen zu entfernen. Klappt das nicht auf Anhieb oder entstehen Blutungen, suchen Sie einen Tierarzt auf.

Stellen Sie als Fremdkörper Fäden oder Nähnadeln fest, entfernen Sie diese niemals, sondern bringen Sie den Hund schnell zu einem Tierarzt, der selber operieren kann.

Der Faden kann bis in den Darm vorgedrungen sein; wenn Sie daran ziehen, können Sie die Verdauungsorgane wie mit einer Drahtsäge aufschneiden.

VERSCHLUCKTE FREMDKÖRPER

Besonders junge, verspielte oder besonders verfressene Hunde fressen gerne alles, was nach Freßbarem riecht. Auch Teile von zerkautem Spielzeug werden mitunter abgeschluckt. Häufige Fremdkörper sind Flummis, Pfirsichkerne, Steine,

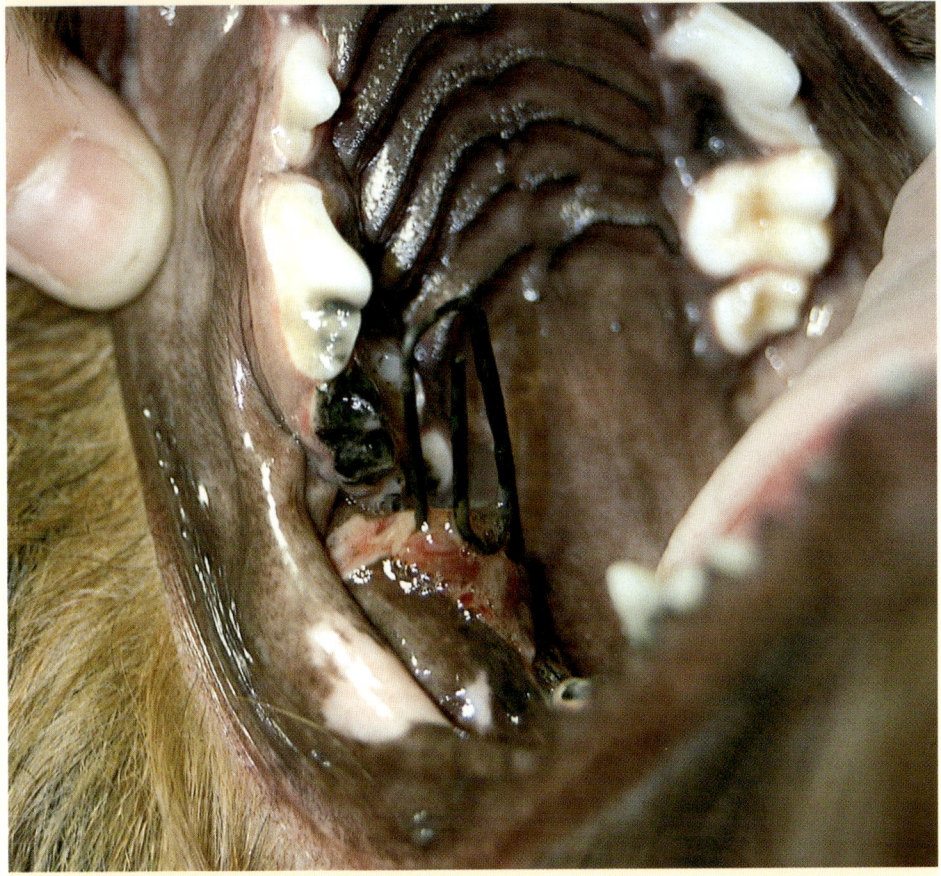

Eine Büroklammer steckt im Gaumen des Hundes fest. (Foto: Tierärztliche Klinik W. Ketter, Löhnberg)

Schaschlikspieße, Rollbratennetze, aber auch Glasscherben, Plastiktüten, Nylonstrumpfhosen, Tampons und alle möglichen und unmöglichen Dinge.

SYMPTOME

Manchmal verläuft das Ganze völlig symptomlos, der Fremdkörper wird nach ein bis drei Tagen auf natürlichem Wege ausgeschieden und eher zufällig im Kot entdeckt. Manchmal erbricht der Hund auch und scheidet auf diesem Wege den Fremdkörper aus. Passiert der Gegenstand den Magenausgang, kann er sich jedoch auch im Darm festsetzen (Darmverschluss = Ileus), was zu Mattigkeit des Hundes, Bauchschmerzen, Verweigern des Futters, Bauchkrämpfen, ständigem Erbrechen, Durchfall oder fehlendem Kotabsatz führt. Bald treten Schocksymptome auf, die ohne Behandlung (Operation) zum Tod führen.

▶ WAS SIE TUN KÖNNEN

Wenn Sie mitbekommen oder den Verdacht haben, dass der Hund einen Fremdkörper verschluckt hat, versuchen Sie nicht, den Hund mit Salzwasser zum Erbrechen zu bringen. Füttern Sie bei spit-

Eine Sammlung herausoperierter Fremdkörper, darunter Steine, Spielzeug, Bällchen, Murmeln, Kronkorken, Rollbratennetz, Tennisballstücke, Pfirsichkerne, Kastanien, Nadel und Faden, diverse Leder- und Stoffstücke. (Foto: Tierärztliche Klinik W. Ketter, Löhnberg)

zen Gegenständen Rhabarberkompott, Spargel oder Sauerkraut und Kartoffelbrei, damit der Fremdkörper eingewickelt wird und sich nicht einspießen kann.

Suchen Sie innerhalb der ersten drei Stunden einen Tierarzt auf, der den Hund medikamentell zum Erbrechen bringen kann. Er wird entscheiden, ob ein natürliches Ausscheiden abgewartet werden kann, oder der Fremdkörper per Sonde oder Operation entfernt werden muss.

Stellen Sie Symptome eines Darmverschlusses fest, suchen Sie ohne Verzögerung einen Tierarzt auf.

GEBURT UND GEBURTS- SCHWIERIGKEITEN

Die meisten Geburten laufen beim Hund komplikationslos und ohne Einwirken des Menschen ab.

Dieses Kapitel gibt Ihnen einen Überblick über den normalen Ablauf der Geburt, aber auch Hinweise, wann ein Tierarzt unbedingt aufgesucht werden muss.

Die normale Trächtigkeitsdauer der Hündin beträgt 63 Tage (normaler Zeitrahmen reicht von 59 bis 68 Tagen). Bei der Berechnung des Wurftermins kann es zu Fehlern kommen, wenn der Deckzeitpunkt nicht genau bekannt ist oder die Hündin mehrfach gedeckt wurde.

Solange das Allgemeinbefinden der Hündin ungestört ist, besteht vor dem 68. Tag in der Regel kein Grund zur Sorge. Dennoch sollte der Trächtigkeitsverlauf vom Tierarzt kontrolliert werden.

Die Geburt (Dauer sechs bis zwölf Stunden) wird durch die Öffnungsphase eingeleitet. Der Schleimpfropf, der während der Trächtigkeit den Gebärmutterhals (Zervix) verschloss, verflüssigt sich, der Schleim geht ab. Die äußerlich nicht sichtbaren Wehen setzen ein (Kontraktion der Gebärmutter, des Uterus). Die Fruchtblase des ersten Welpen tritt in den Geburtskanal ein und weitet ihn. Die Hündin verweigert Futter, erbricht manchmal, wird unruhig und ängstlich, zieht sich zurück und beginnt mit dem Nestbau. Sobald der erste Welpe den Gebärmutterhals passiert, beginnt die Austreibungsphase, und die sichtbare Bauchpresse setzt ein. Die Fruchtblase reißt noch im Geburtskanal oder wird beim Austritt aus der Vulva von der Hündin aufgebissen. Dabei geht farbloses bis grau-opaleszierendes Fruchtwasser ab. Sobald der erste Welpe geboren ist, befreit die Hündin ihn aus der Fruchthülle und beisst die Nabelschnur durch, um ihn anschließend trocken zu lecken. Beim Hund ist sowohl die Vorderendlage (Welpe kommt mit dem Kopf zuerst) wie auch die Hinterendlage normal. Sobald sich der Mutterkuchen (Plazenta) ablöst, färbt sich das Fruchtwasser grünlich. Die Plazenta geht als Nachgeburt etwa 15 Minuten nach der Geburt des ersten Welpen ab. Die Welpen werden meist im Abstand von 30 Minuten geboren, wobei das Intervall von wenigen Minuten bis mehreren Stunden reichen kann. Bei größeren Würfen werden die ersten Welpen oft im Abstand von

DIE NAHENDE GEBURT MACHT SICH DURCH VERSCHIEDENE ZEICHEN BEMERKBAR

- Das Gesäuge schwillt an, Milchsekretion setzt ein
- Die Vulva wird dick, weich und fleischig
- Die Beckenbänder erschlaffen
- Ein leichter, klarer Scheidenausfluss setzt ein.

NÄHERT SICH DER GEBURTSTERMIN, MESSEN SIE ZWEIMAL TÄGLICH DIE KÖRPERTEMPERATUR DER HÜNDIN

- Etwa acht bis zehn Tage vor der Geburt fällt die Körpertemperatur auf 38°C
- zwölf bis 24 Stunden vor der Geburt fällt sie nochmals um mindestens 1°C ab
- mit Beginn der Öffnungsphase der Geburt steigt sie wieder an
- am Ende der Austreibungsphase erreicht sie Werte knapp über 39°C.

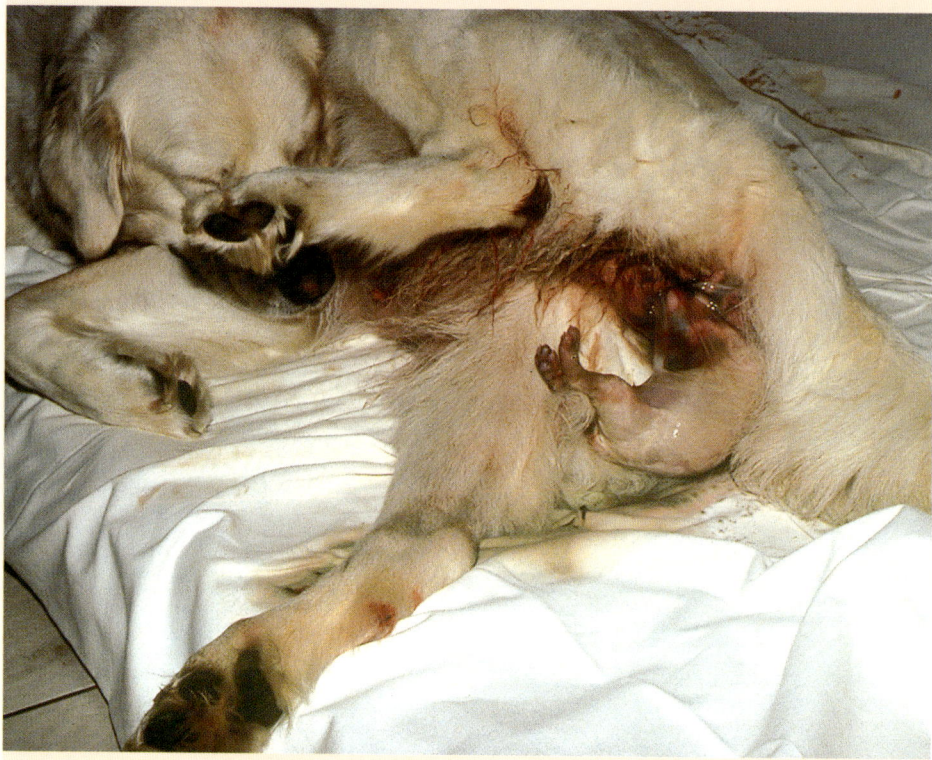

Bei einer normalen Geburt ist die Hündin nicht auf Ihre Hilfe angewiesen, sie macht es in Ruhe besser alleine. Nur wenn es Schwierigkeiten gibt, helfen Sie ihr. (Foto: Infohund/Eva-Maria Krämer)

zehn bis 30 Minuten geboren, worauf eine Pause von zwei bis vier Stunden eintreten kann. Die restlichen Welpen folgen dann meist in längeren Intervallen. Eine normale Geburt kann, je nach Welpenzahl, durchaus zwölf Stunden andauern.

WANN MUSS DER TIERARZT EINGESCHALTET WERDEN?

- Der 68. Tag der Trächtigkeit wird überschritten
- Die Körpertemperatur der Hündin erreicht vor, während oder nach der Geburt mehr als 39° C
- Das Allgemeinbefinden der Hündin ist vor, während oder nach der Geburt gestört, die Hündin ist apathisch oder hat Bauchschmerzen (fester Bauch)
- Das Fruchtwasser ist schon vor der Geburt des ersten Welpen grün
- Das Fruchtwasser riecht faulig oder wird wässrig-blutig
- Die Hündin hat zwar Wehen und presst, es kommt aber kein Welpe (meist Geburtshindernis wie zu enger Geburtskanal, zu großer Welpe oder falsch liegender Welpe)
- Es geht Fruchtwasser ab, die Hündin presst aber nicht (meist so genannte primäre Wehenschwäche)
- Die Geburt stockt (es fehlen noch Welpen, die Hündin presst nicht oder nur

schwach (meist so genannte sekundäre Wehenschwäche durch Erschöpfung der Mutter oder Überanstrengung des Uterus, auch falsch liegender Welpe)

- Die Geburt dauert länger als zwölf Stunden

Der Einsatz von Medikamenten sollte nur nach vorhergehender gründlicher Beratung mit dem Tierarzt erfolgen. Hier kann unter Umständen mehr Schaden angerichtet als Hilfe gegeben werden.

▶ WAS SIE TUN KÖNNEN

Eigentliche Geburtshilfe muss nur in seltenen Fällen geleistet werden.

- Hängt der Welpe aus der Vulva heraus, ohne dass die Hündin ihn weiter auspressen kann, darf vorsichtig Zughilfe geleistet werden. Zunächst wird vorsichtig mit einer Knopfkanüle oder einem Gummischlauch Gleitmittel in den Geburtskanal eingebracht. Ergreifen Sie mit einer Hand vorsichtig den Welpen (beide Beine!) und ziehen Sie ihn synchron mit der Bauchpresse nach unten heraus, Ihre andere Hand schiebt den oberen Rand der Vulva nach oben. Klappt das nicht sofort, suchen Sie einen Tierarzt auf. Unterlassen Sie auf jeden Fall gewaltsame Auszugsversuche! Der Welpe wird aus der Fruchthülle befreit und der Hündin zum Abnabeln und Trockenlecken gegeben.
- Muss der Welpe aus irgend einem Grund von Ihnen abgenabelt werden, müssen Sie die Nabelschnur durchreißen, nicht durchschneiden. Ziehen Sie nicht am Bauchnabel und nabeln Sie nicht zu kurz ab, da dies zum Nabelbruch führen kann.

- Ist die Mutter nicht in der Lage, den Welpen trocken zu lecken, rubbeln Sie ihn mit einem Handtuch trocken und streifen Sie Schleimreste aus Maul und Nase. Dazu kann der Welpe auch geschwenkt werden. Das Anregen der Atmung durch Tauchen in kaltes Wasser ist sehr umstritten, da der empfindliche Welpe dabei stark auskühlen kann.

Nach der Geburt geht bei der Hündin das Lochialsekret ab. In den ersten Stunden ist es schwarzgrün, schleimig-wässrig und mit Blutgerinnseln durchsetzt. Die Menge nimmt schnell ab, die Farbe ändert sich zu rötlich-braun. Ab der zweiten Woche nach der Geburt wird nur noch wenig rötliches, schleimiges Sekret ausgeschieden.

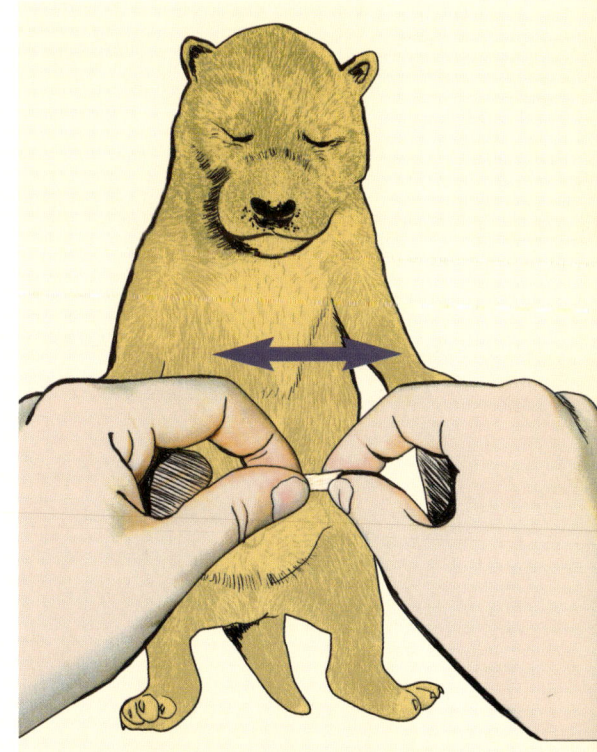

Im Abstand von etwa zwei Zentimeter reißen Sie mit einem kurzen Ruck die Nabelschnur auseinander.

Bei einer gesunden und instinktsicheren Hündin ist die Aufzucht von Welpen kein Problem. (Foto: Infohund/Eva-Maria Krämer)

WANN MUSS DER TIERARZT AUFGESUCHT WERDEN?

- Wenn das Sekret nach mehr als 18 Stunden immer noch schwarzgrün ist, wässrig-stinkend wird oder die Körpertemperatur auf über 39°C ansteigt (Hinweis auf Nachgeburtsverhaltung oder nicht ausgetriebene Frucht)
- Wenn die Vulva und ihre Umgebung stark anschwillt, heiß und schmerzhaft wird oder Eiter abgeht (Geburtsverletzung)
- Wenn einige Tage nach der Geburt schubweise frisches Blut abgeht
- Wenn bei Hündinnen mit starker Milchproduktion Tage bis einige Wochen nach der Geburt Nervosität, Angst, Wimmern, Zittern, Steifbeinigkeit, Krämpfe und hohes Fieber (41°C) auftreten (Symptome einer Tetanie, das sind Krämpfe durch akuten Calciummangel)
- Wenn die Mutter Gesäugeschmerzen hat oder zu wenig Milch gibt (die Welpen schreien ständig)

Generell ist es angeraten, Hündin und Welpen nach der Geburt von einem Tierarzt untersuchen zu lassen und sich, wenn die Hündin kein normales Brutpflegeverhalten zeigt, in der Aufzucht der Welpen unterweisen zu lassen.

GELENKVERLETZUNGEN
(VERRENKUNG, VERSTAUCHUNG, GELENKERÖFFNUNG, BÄNDERRISS)

URSACHEN
„Vertreten" im Spiel oder Lauf, Treten in Löcher, Ausgrätschen, Stürze, Sprünge aus großer Höhe, Bissverletzungen, Pfählungsverletzungen.

SYMPTOME

Der Hund jault plötzlich auf, es stellt sich meist sofort eine hochgradige bis höchstgradige Lahmheit ein. Das Bein kann im betroffenen Gelenk ungewöhnlich verformt sein oder wird in einer unnatürlichen Stellung gehalten. Bei Manipulation ist die betroffene Gliedmaße meist hoch schmerzhaft, das betroffene Gelenk oft geschwollen. Bei Gelenkeröffnung tritt eine fadenziehende, gelbliche bis rötliche Flüssigkeit aus.

▶ WAS SIE TUN KÖNNEN

Beruhigen Sie den Hund, untersuchen Sie ihn auf weitere Verletzungen. Lassen Sie den Hund in seiner Schonhaltung. Überlassen Sie es dem Tierarzt, das ausgerenkte Gelenk wieder einzurenken. Bringen Sie den Hund so schnell wie möglich zu einem Tierarzt, der röntgen kann. Verzichten Sie auf einen Verband, da das Anlegen für den Hund schmerzhaft ist. Bei einer offenen Gelenkverletzung schneiden Sie die Haare um die Wunde weg.

Spülen und desinfizieren Sie die Wunde NICHT! Decken Sie die Wunde steril ab und legen Sie einen entsprechend hohen Gliedmaßenverband an. Bei Wunden an Knie, Schulter- oder Ellbogengelenk bedecken Sie die Wunde mit einer Wundauflage und kleben Sie diese mit Klebeband am Fell fest. Vermeiden Sie zirkuläre Touren um das Bein oder legen Sie das Klebeband nur locker herum, damit es nicht schnürt.

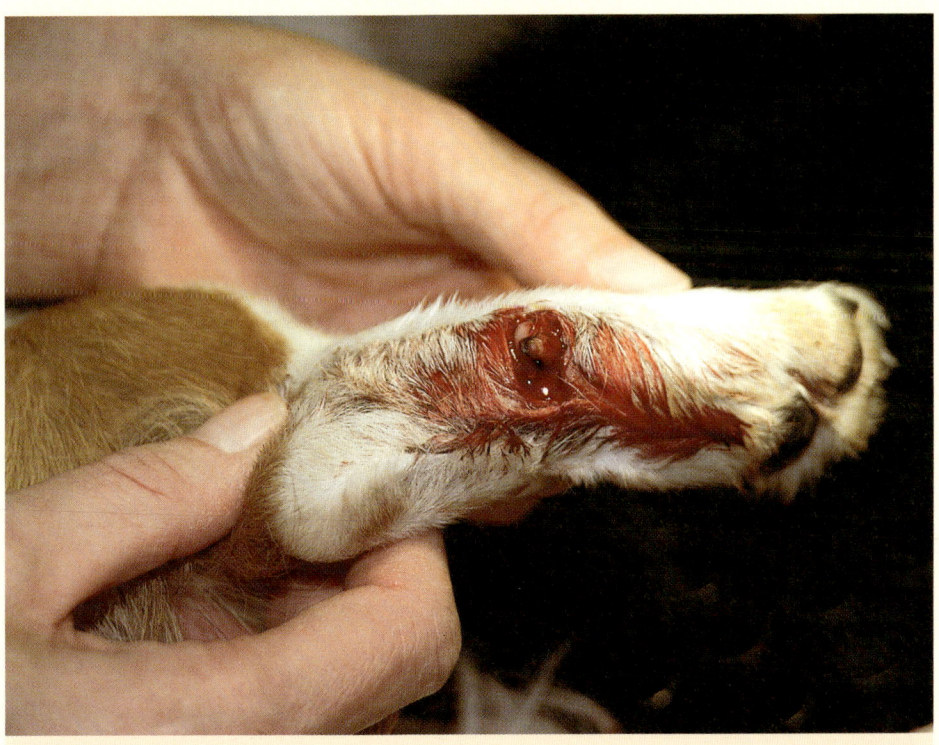

Sprunggelenk nach einem Unfall: Das Gelenk läßt sich ungewöhnlich beugen, der Gelenkspalt ist eröffnet, Blut und Gelenkflüssigkeit treten aus. (Foto: Tierärztliche Klinik W. Ketter, Löhnberg)

HITZEKOLLAPS, HITZSCHLAG, SONNENSTICH

Ein Hitzschlag ist die Reaktion des Körpers auf Überhitzung, wenn nicht genug Wärme an die Umgebung abgegeben werden kann. Die Vorstufe zum Hitzschlag ist der Hitzekollaps. Als Sonnenstich bezeichnet man die Folgen eines Wärmestaus im Gehirn infolge der direkten Einwirkung von Sonnenstrahlen auf den Kopf.

URSACHE

Ein längerer Aufenthalt unter praller Sonne bei hohen Temperaturen führt zu einer Erweiterung der Blutgefäße, um eine vermehrte Wärmeabgabe zu erreichen. Es kommt dadurch zu einer massiven Umverteilung der Blutmenge in die Peripherie (Gliedmaßen, Haut ...), was besonders bei zusätzlicher Kreislaufbelastung (Was-sermangel, körperliche Anstrengung) zum Kollaps führt, deshalb Vorsicht bei Training oder langem Spielen im Sommer.

Die Körpertemperatur kann so hoch ansteigen, dass Blutgerinnung eintritt. Dieser Zustand wird als Hitzschlag bezeichnet und ist lebensgefährlich. Meist kommt er bei fetten oder dicht und lang behaarten Hunden an schwülheißen Tagen vor, oder wenn der Hund im geschlossenen Auto in der Sonne warten muss. Vorsicht, auch bei geringer Sonneneinstrahlung und angenehm warmen Außentemperaturen wird es im Auto innerhalb von Minuten sehr heiß! Hunde mit dünner oder kurzer Behaarung können leicht einen Sonnenstich erleiden, wenn sie längere Zeit schutzlos der Sonne ausgesetzt sind. Das kann beim längeren Abliegen in der prallen Sonne geschehen, aber auch beim Cabrio-Fahren.

Bei Hitze und Sonneneinstrahlung sollte man seinen Hund nicht im Auto lassen. (Foto: Infohund/Eva-Maria Krämer)

SYMPTOME

Beim Hitzekollaps und dem darauf naht-los folgenden Hitzschlag stellt man Keu-chen und starkes Hecheln fest. Puls- und Atemfrequenz sind erhöht. Die Schleim-häute sind rot, die feinen Äderchen in den Augen (Episkleralgefäße) sind stark ge-füllt. Manchmal tritt ein Kehlkopfödem auf (Anschwellen des Kehlkopfes), die Hunde zeigen dann Atemnot. Die Körper-temperatur steigt an und kann 41 bis 43 °C betragen (akute Lebensgefahr!). Dann zei-gen sich Bewusstseinseintrübungen, der Hund reagiert kaum auf Ansprache, schwankt oder lässt sich fallen, und schließlich Bewusstlosigkeit. Es können auch Erbrechen oder Krämpfe auftreten.

Beim Sonnenstich hat der Hund Kopf- und Nackenschmerzen; es kommt zu Krämpfen und zur Bewusstlosigkeit. Ein Sonnenstich ist oft tödlich.

▶ WAS SIE TUN KÖNNEN

Bringen Sie den Hund sofort in den Schat-ten oder an einen anderen kühlen Ort. Kühlen Sie seine Körpertemperatur so schnell es geht herunter, indem Sie ihn in kaltes Wasser stellen (Bach, Eimer) und mit kalten Wasser übergießen.

Gehen Sie dabei von unten nach oben und von hinten nach vorne vor. Schockar-tiges Abkühlen (plötzliches Überschütten mit Wasser) ist äußerst belastend für den geschädigten Kreislauf.

Legen Sie auch keine feuchten Tücher auf, im Fell darunter staut sich die Wärme. Bieten Sie dem Hund soviel kühles Trink-wasser an, wie er möchte.

Bringen Sie ihn schnellstens zum Tier-arzt.

Kontrollieren Sie, dass die Körpertem-peratur nicht wieder ansteigt, sie sollte möglichst unter 39,5 °C liegen.

Ein erfrischendes Bad im Wasser ist an heißen Tagen ein riesiges Vergnügen für Hunde. (Foto: Infohund/Eva-Maria Krämer)

VORBEUGE

Achten Sie darauf, dass Ihr Hund bei heißem Wetter jederzeit Zugang zu kaltem Wasser und einem kühlen, schattigen Bereich hat. Legen Sie Sport, Training und längere Spaziergänge bei heißem Wetter in die frühen Morgen- oder späten Abendstunden.

Feuchten Sie das Fell (besonders den Kopfbereich) an und erlauben Sie dem Hund das Baden im Bach. Langhaarige oder dicht behaarte Hunde sollten Sie im Sommer scheren.

Um den Elektrolytverlust auszugleichen, fügen Sie prophylaktisch dem Trinkwasser Elektrolyte zu.

INSEKTENSTICHE

Meistens sind Insektenstiche beim Hund harmlos und werden erst gar nicht bemerkt. Dennoch können Wespen- oder Bienenstiche im Rachen starke Schwellungen verursachen, welche die Atmung behindern und zum Ersticken führen können.

Wespen- oder Bienenstiche treten in der Regel im Gesicht, im Fang oder an den Pfoten auf, wenn der Hund nach den Insekten schnappt, hineintritt oder versehentlich in der Nähe eines Nests stöbert. Kurzhaarige Hunde können dann auch am ganzen Körper Stiche aufweisen.

Auch unter Hunden gibt es Allergiker. Betroffen sind häufig Boxer, Dalmatiner, Pitbulls, Dobermänner oder Doggen, aber auch andere Rassen.

Im mildesten Fall kommt es nach dem Stich zu einer Quaddelbildung der Haut am ganzen Körper, im schlimmsten Fall schwellen die Schleimhäute an und es kann zu Erstickungsanfällen oder einem anaphylaktischen Schock kommen.

WAS SIE TUN KÖNNEN

Sollte der Stachel noch stecken, entfernen Sie ihn vorsichtig mit der Splitterpinzette. Drücken Sie dabei keinesfalls die weißliche Giftblase aus, die sich an seinem Ende befindet. Kühlen Sie den Stich mit Wasser, Kühlakkus oder Eis.

Bei Stichen im Maul oder Rachen geben Sie dem Hund Speiseeis oder kalten Joghurt zu schlecken, manchmal lecken Hunde auch normale Eiswürfel.

Bieten Sie dem Hund Wasser an. Calcium beeinflusst allergische Erscheinungen positiv, geben Sie dem Hund möglichst frühzeitig je nach Größe ein bis zwei Calcium frubiase™-Trinkampullen ein. Schwere allergische Erscheinungen lassen sich dadurch jedoch nicht verhindern!

Sollte Ihr Hund Allergiker sein, suchen Sie umgehend den nächsten Tierarzt auf.

Lassen Sie sich als Besitzer eines Hundes mit bekannter Insektenstich Allergie von Ihrem Haustierarzt ein Allergiker-Notfallpack mit den entsprechenden Notfallmedikamenten geben, das Sie in der warmen Jahreszeit stets bei sich haben sollten.

Da auch gesunde Hunde starke Schleimhautschwellungen zeigen können, beobachten Sie Ihren Hund nach einem Stich genau und suchen Sie im Zweifel frühzeitig einen Tierarzt auf.

KNOCHENBRÜCHE

Man unterscheidet eine ganze Reihe verschiedener Knochenbrüche, die in diverse Kategorien eingeordnet werden, zunächst in gedeckte (Haut ist unverletzt) und offene oder auch komplizierte Brüche (die Haut ist perforiert, der Bruch hat Kontakt zur Außenwelt). Alle weiteren Frakturformen sind für den Ersthelfer eher uninteressant, da diese meist erst auf dem Röntgenbild unterschieden werden können und stets die gleichen Erstmaßnahmen erfordern. Einige wenige Frakturen werden häufig als solche nicht erkannt, da markante Symptome fehlen. Immer jedoch kommt es zu einer Lahmheit, die einer tierärztlichen Abklärung bedarf.

VORSICHT

Knochenbrüche sind mit starken Schmerzen verbunden. Ihr Hund könnte um sich beißen! Zur Eigensicherung sollte dem verletzten Hund daher zuerst ein Beißschutz umgelegt werden. Befindet sich der Hund zudem in einer Gefahrenzone, muss er zuerst in Sicherheit gebracht werden. Das Ziel der Erstmaßnahmen ist, die Verletzung nicht noch weiter zu verschlimmern und dem Hund weitere Schmerzen zu ersparen.

URSACHEN

Ursache eines Knochenbruchs ist immer ein stärkeres Trauma, zum Beispiel durch einen Sturz, einen Autounfall oder durch Tritte. Auch durch ein falsches Aufkommen nach einem Sprung oder wenn der Hund in vollem Lauf in ein Loch tritt, kann es zu Frakturen kommen. Bei Welpen oder Kleinhunden können auch Bisswunden zu Frakturen führen.

SYMPTOME

Die sichtbaren Anzeichen sind zunächst der Funktionsverlust (bei Frakturen an den Beinen meist mit höchstgradiger Lahmheit einhergehend), Schwellung, Verformung der Bruchstelle, Schmerzen, Knirschgeräusche, oft Wärmebildung und abnorme Beweglichkeit an der Bruchstelle. Gebrochene Gliedmaßen sind in der Regel herabhängend und oft verformt. Bei Brüchen im Beckenbereich kann es zu Kot- und Harnabsatzproblemen und Lahmheiten bis zur Lähmung kommen. Rippenbrüche können zu massiver Atemnot und großen Schmerzen und eventuell zu Lungenverletzungen durch die scharfen Bruchenden führen, die lebensgefährlich werden können. Brüche des Unterkiefers oder anderer Schädelknochen entstehen nach Stürzen oder Verkehrsunfällen und sind unter Umständen an Schwellungen, Verformungen, Blutergüssen im Augenbereich, Nasenbluten sowie mangelndem Schließvermögen der Kiefer zu erkennen. Schädelverletzungen gehen häufig mit Bewusstlosigkeit, manchmal auch mit Krämpfen einher und können tödlich sein.

WAS SIE TUN KÖNNEN

Erste Hilfe bedeutet hier, den gebrochenen Knochen möglichst zu schonen und den Hund so wenig wie möglich zu bewegen, um ihm weitere Schmerzen zu ersparen.

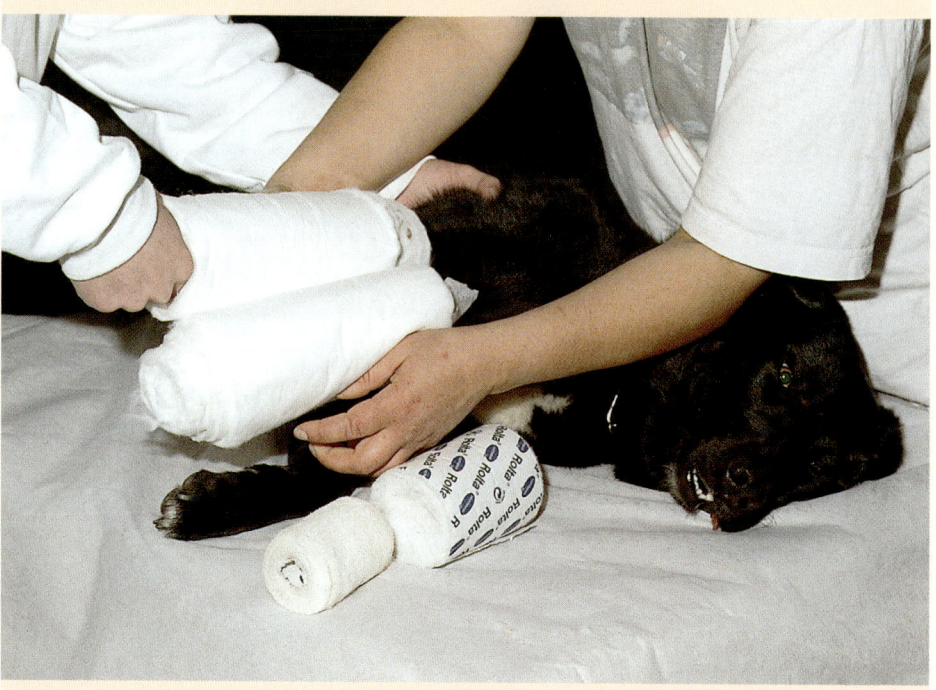

Anlegen eines Robert-Jones-Verbands: Ein Helfer streckt vorsichtig das Bein, während Sie eine extradicke Lage Watte zirkulär umwickeln.

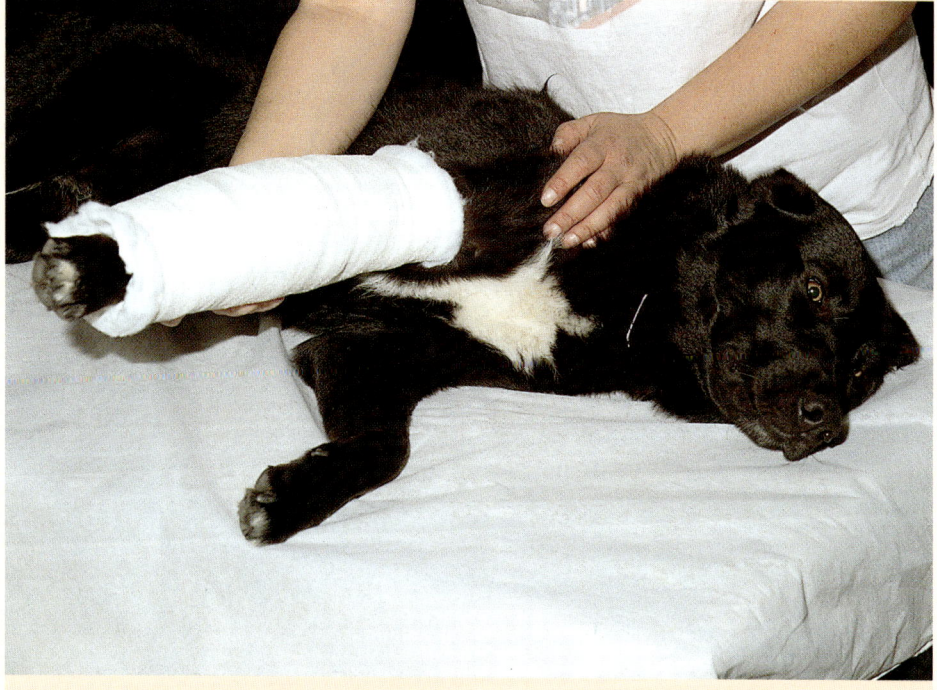

Dann wickeln Sie straff einen elastischen Verband oder Klebeverband um das Bein, bis es steif ist. Die Pfote schaut heraus. (Fotos: Manuela Eckenbach-Arndt)

Wichtig ist, die Vitalfunktionen zu kontrollieren, offene Wunden zum Schutz vor Infektionen abzudecken, eventuellen Blutverlust zu stoppen und den Schock zu bekämpfen. Denken Sie nach Unfällen an weitere, eventuell lebensbedrohliche Verletzungen, die Sie zunächst nicht sehen.

Generell gilt, dass Knochenbrüche (außer Schädelfrakturen) nicht lebensbedrohlich sind und bei der Erstversorgung erst ziemlich zum Schluss bedacht werden, obwohl sie meist ein für den Laien eindrucksvolles und Aufmerksamkeit erregendes Ereignis darstellen. Wenn möglich, sollte der Hund auf einer Behelfstrage transportiert werden. Frakturen aller Art gehören unbedingt in die Hand des Tierarztes.

Frakturen der Gliedmassen

In der Regel gelingt es dem Hund sehr gut, sich auf drei Beinen fortzubewegen und das gebrochene Bein in einer Schonhaltung zu halten. Diese Haltung ist weitestgehend schmerzarm, so dass in diesem Fall von jeglicher Manipulation abgesehen werden sollte.

Jeder Trageversuch oder das Anlegen eines Verbandes wäre mit weiteren Schmerzen verbunden. Lassen Sie also den Hund die Bewegungen machen, die er machen kann, und bringen ihn zum Tierarzt. Ins Auto sollten Sie ihn vorsichtig heben, ohne die verletzte Gliedmaße unnötig zu bewegen.

Nur in absoluten Ausnahmefällen, wenn zum Beispiel die Gliedmaße stark schlackert und dies mit starken Schmerzen verbunden ist, und ein längerer, vielleicht holpriger Transport ansteht, sollten Sie einen Robert-Jones-Verband anlegen.

Dieser Verband ist im Gegensatz zu allen anderen Beinverbänden an der Pfote offen. Er besteht in erster Linie aus einem dicken Polster (ungefähr so dick wie ein Kopfkissen) aus Watte, das mit einer breiten, elastischen Binde zirkulär straff befestigt wird.

Während der ganzen Zeit wird das Bein (anders als beim normalen Pfotenverband) durch mäßigen und stetigen Zug an der Pfote gestreckt. Durch die dicke Polsterung ist der Verband so steif, dass eine weitere Schienung entfallen kann.

Eine weitere Ausnahme gilt für offene Frakturen. Decken Sie die Wunde steril ab und kleben Sie die Wundauflage am oberen und unteren Ende zirkulär mit Textilklebeband fest, jedoch ohne das Bein abzuschnüren. Sollten Knochenteile herausragen und steht ein längerer Transport bevor, können Sie die Wunde mit steriler Infusionslösung (NaCl, Ringer oder Ähnlichem, sofern vorhanden) feucht halten, wenn sie nur wenig blutet. Üben Sie keinen unnötigen Druck auf die Fraktur aus.

Alle anderen Formen von Verbänden mit oder ohne Schiene sollte dem Tierarzt vorbehalten bleiben, der den Bruch unter Narkose und Röntgenkontrolle je nach Fall schmerzlos und exakt richten und durch Schienenverbände oder durch operative Methoden stabilisieren kann. Laienhafte Schienenverbände schaden oft mehr als sie nützen, da durch fehlerhafte Anpassung unerwünschte Hebelwirkungen auf den Frakturspalt (Bruch) ausgeübt werden.

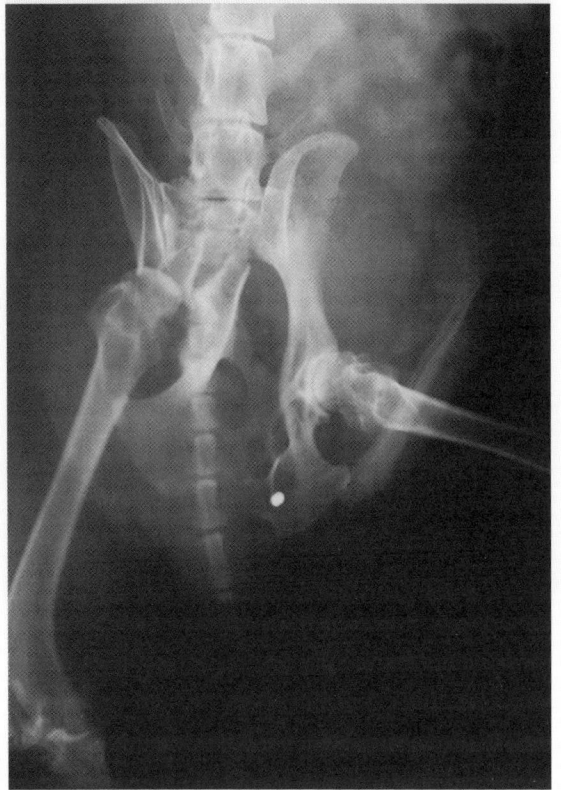

Deutlich ist auf diesem Röntgenbild ein mehrfacher Beckenbruch erkennbar. (Foto: Tierärztliche Klinik W. Ketter, Löhnberg)

BECKENBRUCH

Beckenbrüche kommen recht häufig nach Verkehrsunfällen vor.

Bei einem Beckenbruch kann es zur leichten bis vollständigen Lähmung der Hinterhand kommen. Der Hund kann sich dann nicht mehr erheben und hat manchmal kein Gefühl mehr in den Hinterbeinen.

Weitere Risiken sind Komplikationen, die im Bereich der Blase, des Enddarms, der Nerven, der Blutgefäße oder des Weichteilgewebes entstehen können.

Ein sofortiger und vorsichtiger Transport zum Tierarzt ist notwendig.

BRUCH DES UNTERKIEFERS

Bei einer Unterkieferfraktur kann der Hund seinen Fang nicht mehr richtig schließen. Der Hund wird von selbst eine Schonhaltung einnehmen, so dass diese Verletzung keine Ruhigstellung durch einen Verband durch den Ersthelfer erfordert. Die Behandlung erfolgt durch den Tierarzt.

RIPPENBRUCH

Rippenbrüche treten in der Regel als Rippenserienbrüche auf. Einzelne gebrochene Rippen bleiben manchmal unbemerkt. Bei einem Serienbruch sind mehrere nebeneinander liegende Rippen jeweils an einer oder zwei Stellen gebrochen.

Dadurch kann es zu massiven Atmungsproblemen kommen, da sich der Brustkorb auf der verletzten Seite nicht weiten kann. Es kommt zur sogenannten inversen Atmung. Weitere Traumata im Brustkorb können die Folge sein.

Bewegen Sie den Hund so wenig wie möglich, lassen Sie ihn in seiner Schonhaltung. Bringen Sie den Hund schonend zum Tierarzt. Das Anlegen eines gepolsterten, straffen Brustverbandes ist meist so schmerzhaft, dass dies erst vom Tierarzt unter Narkose durchgeführt werden sollte.

Eine Ausnahme gilt für offene Brustkorbverletzungen, die Sie möglichst luftdicht abdecken sollten (siehe Brustkorbverletzungen).

Kontrollieren Sie die Vitalfunktionen, bekämpfen Sie den Schock, lassen Sie dabei aber die Seitenlage weg. Sorgen Sie für Frischluft, wenn der Hund Atemnot hat.

KOPFVERLETZUNGEN

URSACHEN

Kopfverletzungen können nach Stürzen, Autounfällen, Beißereien, Schussverletzungen, Tritten, Schlägen und anderen Gewalteinwirkungen auf den Kopf entstehen. Das Ausmaß kann sehr unterschiedlich sein: Es reicht von Prellungen und oberflächlichen Wunden über Gehirnerschütterung bis zu Knochenverletzungen, die dramatische Folgen haben können.

SYMPTOME

Aufgrund des Unfallmechanismus wird eine Schädelverletzung vermutet; eventuell offene Wunden im Kopfbereich; Nasenbluten, Bluten aus dem Fang und den Augenwinkeln; Schwellungen um die Augen, Auge quillt hervor und ist blutunterlaufen; „Dellen" oder Beulen am Kopf; Kopf ist schmerzhaft bei Berührung; der Hund schwankt, ist kaum ansprechbar oder bewusstlos; der Hund krampft; Atemstillstand; bei offenen Schädel-Hirn-Traumen ist graue Gehirnmasse zu sehen.

WAS SIE TUN KÖNNEN

Bringen Sie den Hund bei jeder Kopfverletzung schnell und so schonend wie möglich zum Tierarzt. Beruhigen Sie das Tier und halten Sie es warm. Überprüfen Sie die Vitalfunktionen. Denken Sie auch an andere Verletzungen, die der Unfall mit sich bringen könnte.

Bei Atemstillstand oder unzureichender Atmung beatmen Sie den Hund (siehe Atemnotfälle). Ist der Hund bewusstlos, legen Sie ihn auf die Seite, den Kopf leicht erhöht (siehe auch Bewußtlosigkeit). Achten Sie auf Erbrechen; sorgen Sie dann für den Abfluss des Mageninhalts. Bei kleinen, kaum blutenden Wunden schneiden Sie das Fell an der Stelle weg und desinfizieren Sie die Stelle mit Betaisdona™. Bei stärker blutenden Wunden legen Sie einen Kopfverband (siehe Verband anlegen) an. Prellungen und Blutergüsse kühlen Sie mit Cool-packs oder feuchten Tüchern.

Bei offener Schädeldecke ist der Hund praktisch immer bewusstlos, meist überlebt er den Unfall nicht. Decken Sie die Hirnmasse mit einem Brandwundentuch locker ab und bringen Sie das Tier zum Tierarzt.

Die meisten Kopfverletzungen gehen mit einer Gehirnerschütterung einher; belasten Sie daher den Hund nicht (auch, wenn es ihm anscheinend noch gut geht), sorgen Sie für Ruhe und einen schonenden Transport zum Tierarzt.

KRÄMPFE

URSACHEN

Die genaue Ursache für einen Krampfanfall lässt sich auch mit tierärztlichen Möglichkeiten nicht immer herausfinden. Krämpfe sind immer nur ein Symptom einer Erkrankung, und viele Erkrankungen können mit Krämpfen einhergehen. Neben der eigentlichen Epilepsie kommen viele verschiedene Infektionskrankheiten, Fieber, Sonnenstich, Hitzschlag, Schädelverletzungen, Vergiftungen, verschiedene Stoffwechselerkrankungen und vieles andere in Frage.

SYMPTOME

Der Hund benimmt sich vor dem Krampf-anfall meist ungewöhnlich, dann wird er häufig steif, zittert oder zuckt. Der Hund kann heftig um sich beißen oder mit den Kiefern aufeinanderschlagen, so dass schaumiger Speichel am Fang erkennbar sein kann. Beißt sich der Hund auf die Zunge (eher selten, da auch die Zunge angespannt wird), kann der Speichel blu-tig werden.

Die Augen werden verdreht oder haben einen starren Blick. Meist gehen Kot und Urin ab. Der Hund reagiert mit ruckarti-gen Bewegungen auf laute Geräusche oder plötzliches helles Licht.

Der Anfall ist in der Regel innerhalb weniger Sekunden bis Minuten vorbei. Nur sehr selten hält der Krampf länger vor, so dass das Tier bereits wieder nor-mal ist, wenn man beim Tierarzt eintrifft.

▶ WAS SIE TUN KÖNNEN

Krampfanfälle sind, wenn sie nicht in Zusammenhang mit anderen lebensbe-drohlichen Erkrankungen auftreten (Son-nenstich, Schädelverletzung ...), nicht akut lebensgefährlich.

Dennoch sollte möglichst bald ein Tier-arzt aufgesucht werden, der die Ursache des Anfalls aufklären und die Grunder-krankung behandeln wird.

Vorsicht, der Hund kann unkontrolliert beißen! Sichern Sie die Umgebung des krampfenden Hundes so, dass er sich nicht durch Anschlagen an Möbel oder Absturz von Treppen oder Sofa verletzen kann. Die Umgebung sollte ruhig und ab-gedunkelt sein.

Halten Sie den Hund mit einer überge-legten Decke warm, versuchen Sie aber nicht, die Krämpfe durch Festhalten zu unterdrücken.

Unmittelbar nach dem Anfall sollten Sie dem Hund etwas Ruhe und Ihre Anwesen-heit gönnen, da er meist ein großes Schlaf-bedürfnis hat und Ihre Nähe sucht.

KRALLENVERLETZUNGEN

URSACHEN

Krallenverletzungen kommen bei aktiven Hunden recht häufig vor. Insbesondere beim Agility bleiben die Hunde mit einer Kralle hängen oder knicken diese um, so dass das Horn einreißt oder teilweise abbricht.

Da sich unterhalb des „toten" Krallen-horns (vergleichbar mit dem Fingernagel) Gewebe befindet, das mit Blutgefäßen und Nerven durchzogen ist, sind Krallenverlet-zungen stets schmerzhaft und können stark bluten.

Besonders das Krallenbett, also der Übergang zur behaarten Zehe, ist sehr empfindlich und neigt bei Verletzungen schnell zu langwierigen und schmerzhaf-ten Entzündungen.

▶ WAS SIE TUN KÖNNEN

Lose Krallen(teile) müssen ausnahmslos entfernt werden, da sie nicht mehr an-wachsen und ständig Schmerzen auslösen. Außerdem ist die Gefahr einer Krallenbett-entzündung, die bei entsprechender Ver-schmutzung schnell eitrig wird und weiter aufsteigen kann, immer gegeben.

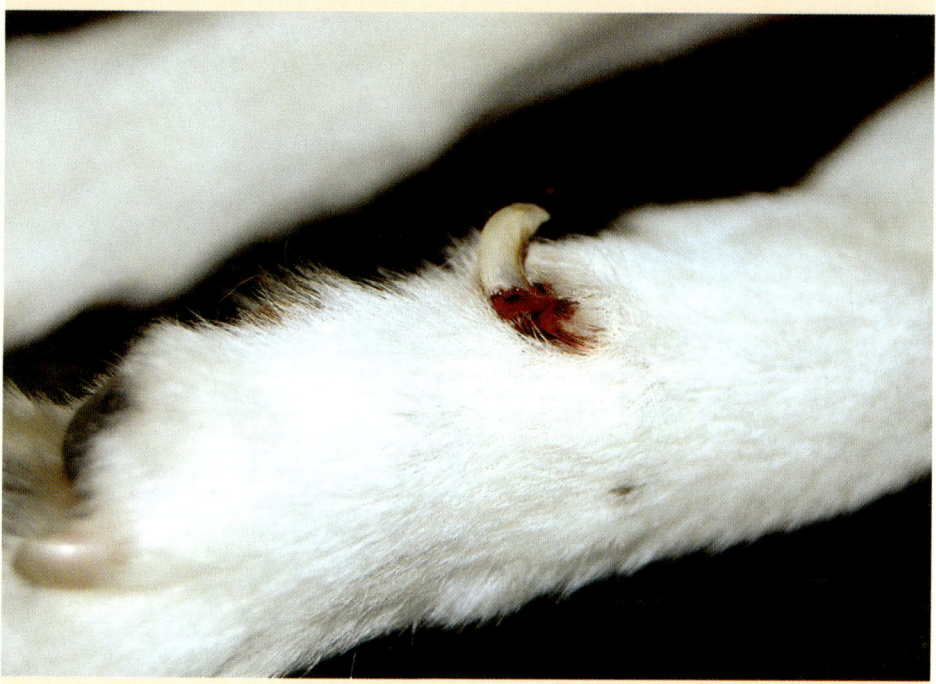

Beim Herumtoben hängengeblieben: Eine teilabgerissene Daumenkralle. (Foto: Tierärztliche Klinik W. Ketter, Löhnberg)

Legen Sie zunächst einen Beißschutz an. Lose Krallensplitter können Sie mit der Krallenzange abknipsen. Eine lose Kralle lassen Sie lieber vom Tierarzt wegmachen. Hängt die Kralle nur noch „an einem Faden", ergreifen Sie diese sicher und ziehen einmal ruckartig und kräftig daran.

Normalerweise löst sie sich dabei ab. Trauen Sie sich das nicht zu oder zeigt der Hund bei jeder Manipulation starke Schmerzreaktionen, lassen Sie es. Legen Sie auf alle Fälle einen Pfotenverband an, falls der Hund noch länger laufen muss oder wenn es blutet, und bringen ihn zu einem Tierarzt. Er wird die Kralle in der Regel unter örtlicher Betäubung ziehen (manche Hunde müssen jedoch sogar in Narkose gelegt werden) und die Wunde behandeln.

KREISLAUFPROBLEME

URSACHEN

Eine Kreislaufschwäche deutet nahezu immer auf eine bislang verborgene Erkrankung meist des Herzens hin. Jeder Hund sollte mindestens einmal im Jahr (zum Beispiel zur Impfung) vom Tierarzt gründlich untersucht werden. So kann man kranken Tieren zu große Belastungen ersparen und bestehende Krankheiten frühzeitig therapieren.

Auch (massive) Überanstrengungen, meist in Zusammenhang mit Hitze (siehe Kapitel Hitzekollaps), Flüssigkeits- und Elektrolytverlust, zum Beispiel durch Blutungen, Nierenerkrankungen, Magen-Darm-Erkrankungen und viele andere Krankheiten schwächen das Kreislaufsystem, so dass die Blutversorgung bei großen körperlichen Belastungen nicht mehr ausreicht.

SYMPTOME

Der Hund zeigt Konditionsschwächen, schwankt, ist kaum ansprechbar und sackt mit einem Mal zusammen. Er kann bewusstlos werden oder eingetrübt sein, die Schleimhäute sind blass oder bläulich, der Puls ist verlangsamt oder sehr schnell. Es können je nach Krankheitsursache Schocksymptome auftreten. Wenn sich der Hund nach einer Ruhepause etwas erholt hat, ist er sehr zittrig auf den Pfoten.

▶ WAS SIE TUN KÖNNEN

Ist der Hund bewusstlos, oder hat er offensichtlich einen Hitzekollaps, gehen Sie so vor wie in den entsprechenden Kapiteln beschrieben. Ist er bei Bewusstsein, lassen Sie ihn in der von ihm gewählten Haltung beziehungsweise unterstützen Sie ihn dabei, diese einzunehmen: Meist wird er versuchen, zu sitzen oder in Brustlage zu kommen, und dabei die Ellenbogen zur Verbesserung der Atmung abspreizen. Bieten Sie dem Hund Wasser an und beruhigen Sie ihn. Zwingen Sie ihn zu nichts, was ihn aufregen könnte, und unterlassen Sie alle Zwangsmaßnahmen.

Verhindern Sie jede weitere körperliche Anstrengung, tragen Sie den Hund notfalls bis zum Auto. Ein Kreislaufkollaps ist ein ernstzunehmender Notfall, der unbedingt so schnell wie möglich von einem Tierarzt behandelt werden muss. Auch wenn es dem Hund wieder besser geht, suchen Sie einen Tierarzt auf und lassen Sie unbedingt die Ursache des Kollaps abklären.

KREISLAUFSTILLSTAND

URSACHEN

Zu einem Kreislaufstillstand, also einem Fehlen des Herzschlages, kann es aus verschiedenen Gründen kommen. Häufig endet ein Kreislaufstillstand tödlich. In manchen Fällen gelingt jedoch die Reanimation. Ursachen können unter anderem Stromunfälle, schwere Brustkorbverletzungen, fortgeschrittener Schock, Magendrehung, Sauerstoffmangel, Unterkühlung und viele andere schwere Krankheiten sein. Herzstillstand ist gleichzusetzen mit dem klinischen Tod, aber erst beim Hirntod (folgt rasch durch Sauerstoffmangel) tritt der Gesamttod ein. Bis dahin hat man noch Chancen.

SYMPTOME

Der Hund ist bewusstlos, atmet nicht und hat keinen Puls. Auch ein Herzschlag ist weder zu fühlen noch mit aufgelegtem Ohr zu hören. Die Schleimhäute sind erst blau, später weiß.

▶ WAS SIE TUN KÖNNEN

Es braucht nicht betont zu werden, dass der Hund so schnell wie möglich unter durchgehender Reanimation zum nächsten Tierarzt gebracht werden muss. Eine Reanimation beginnt immer mit dem Freimachen der Atemwege. Schauen Sie tief in den Rachen und tasten Sie ihn ab. Ziehen Sie an der Zunge, um einen Atemreflex auszulösen. Hilft das nicht, legen Sie den Hund in rechte Seitenlage, ziehen Sie das linke Vorderbein etwas vor und schlagen Sie mit Ihrer Faust fest (bei kleinen

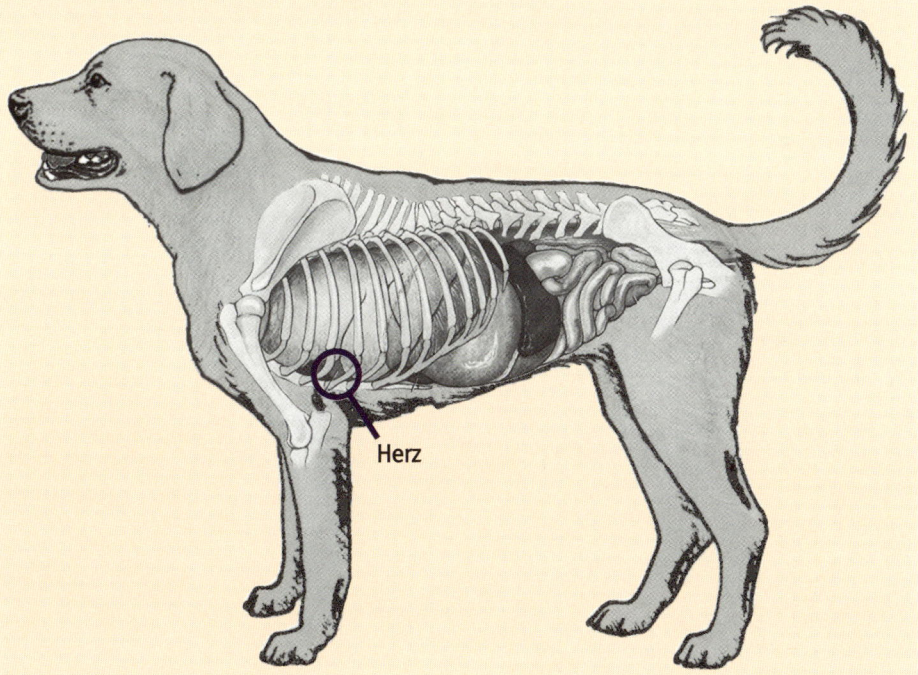

Der Druckpunkt für die Herzmassage und den präcordialen Faustschlag bei einem erwachsenen Hund befindet sich neben der Achselhöhle.

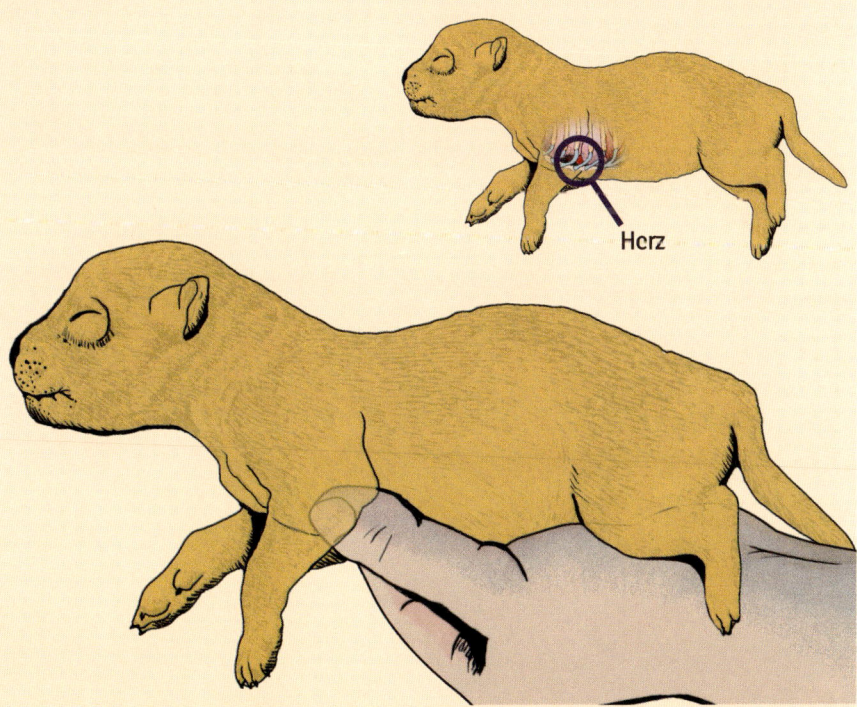

Bei einem Welpen muss man sehr vorsichtig vorgehen, den Brustkorb nur wenig eindrücken.

Hunden und Welpen nicht ganz so fest, da mit den Knöcheln von zwei oder drei Fingern) auf den Brustkorb im Bereich, wo der Ellenbogen vorher lag oder knapp dahinter. Das ist der sogenannte präcordiale Faustschlag, damit sind schon viele Hundeherzen wieder angesprungen.

Kontrollieren Sie den Puls. Haben Sie keinen Puls, folgt die Reanimation. Beginnen Sie mit der Beatmung, beatmen Sie nach demselben Schema wie beim Menschen, nur in einem schnelleren Rhythmus:

Wenn Sie alleine sind, abwechselnd zwei Beatmungen und 15 Druckmassagen, wenn Sie einen Helfer haben, jeweils eine Beatmung und fünf Druckmassagen. Zum Thema Beatmen lesen Sie das Kapitel „Atemnotfälle".

Der Druckpunkt ist derselbe wie beim präcordialem Faustschlag. Bei Welpen und kleinen Hunden legen Sie die Hand von unten um die Brust, den Daumen an die linke Seite und die Finger auf die rechte Seite der Brust, und zwar unter und knapp hinter den Ellenbogen im Bereich der dritten bis sechsten Rippe. Sie drücken gefühlvoll mit dem Daumen.

Beim großen Hund ziehen Sie das linke Vorderbein nach vorne und drücken an der Stelle, wo vorher der Ellenbogen lag, mit dem Handteller den Brustkorb nach unten. Bei sehr großen Hunden nehmen Sie die zweite Hand zur Hilfe, um kräfteschonend zu arbeiten.

Fahren Sie in der Reanimation fort und kontrollieren Sie immer wieder, ob Sie einen Puls bekommen. Da Sie nur einen

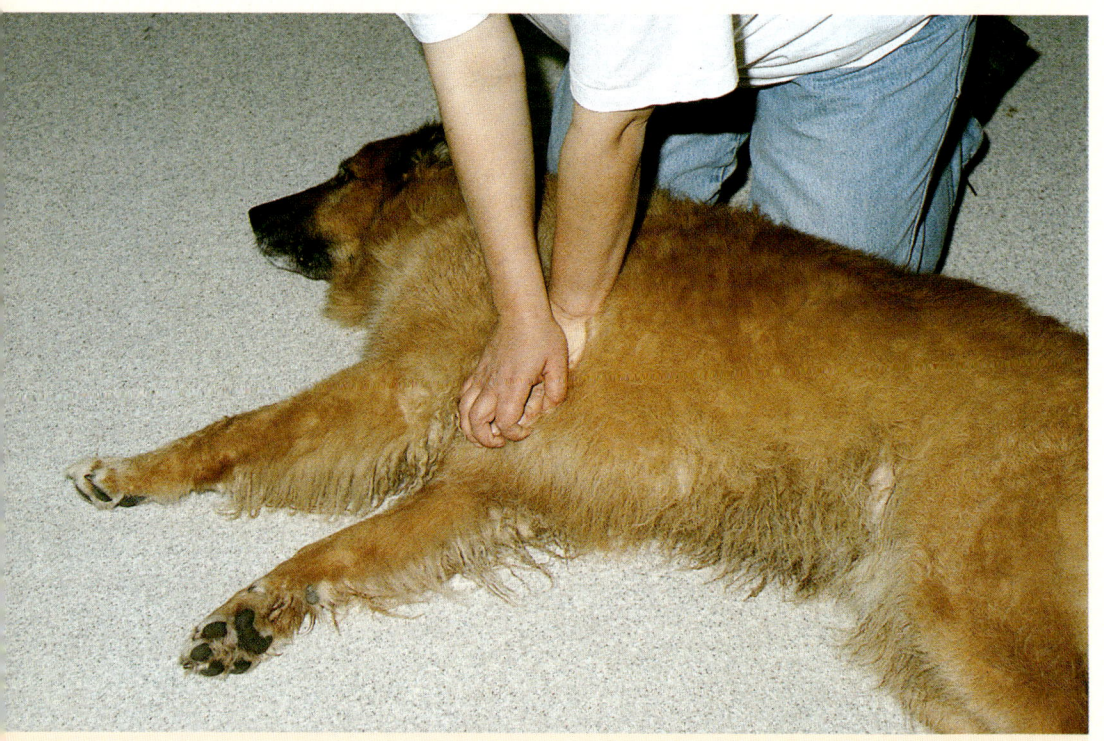

Für eine Herzdruckmassage bei einem großen Hund setzen Sie so die Hände auf. (Foto: Manuela Eckenbach-Arndt)

Notkreislauf aufrechterhalten können, werden Sie am Hinterbein kaum die durch Ihre Kompressionen ausgelöste Pulswelle fühlen können.

Hören Sie auf, wenn der Hund wieder einen Puls hat und selbständig atmet; tut er das nicht oder nicht ausreichend (Schleimhautfarbe!), müssen Sie ihn weiter beatmen. Versuchen Sie, die Reanimation fortzuführen, bis Sie beim Tierarzt sind. Auch wenn es dem Hund nach erfolgreicher Reanimation anscheinend wieder gut geht, halten Sie den Hund unter ständiger Beobachtung und stellen Sie ihn umgehend einem Tierarzt vor.

Sind nach 15 Minuten Reanimation weder Atmung noch Puls aktiviert und zudem deutliche Todeszeichen festzustellen (siehe Kapitel Anzeichen des Todes), wie fehlender Lidschluß- und Pupillenreflex, extrem geweitete Pupillen und andere, bedeutet es, dass der Hund gestorben ist.

LAHMHEITEN

URSACHEN

Die Ursachen für Lahmheiten sind so vielfältig, dass man Bücher damit füllen kann. Meist handelt es sich um Verletzungen der Krallen oder der Ballen, gefolgt von Gelenkerkrankungen und -verletzungen (einschließlich Bänderverletzungen), Weichteilverletzungen und -erkrankungen wie Entzündungen, Prellungen, Zerrungen und Durchtrennungen von Muskeln oder Sehnen, oder schließlich um Knochenbrüche.

Auch eine Reihe anderer Erkrankungen kann zu Lahmheiten führen.

SYMPTOME

Der Hund läuft ungewöhnlich, zeigt Schmerzäußerungen, hält eine Pfote hoch oder schont deutlich ein (oder mehrere) Bein(e), was bis zur höchstgradigen Lahmheit (der Hund läuft auf drei Beinen) reichen kann. Manchmal sieht man Blutspuren, oder der Hund leckt ständig an einer Stelle. Symptome einer Gelenkerkrankung oder eines Knochenbruchs finden Sie im jeweiligen Kapitel.

WAS SIE TUN KÖNNEN

Beobachten Sie den Hund genau, damit Sie herausfinden, auf welchem Bein der Hund lahmt. Haben Sie die erkrankte Gliedmaße herausgefunden, untersuchen Sie nun das Bein systematisch von unten nach oben: Sehen Sie sich jede Kralle an, vergessen Sie dabei die Daumen- beziehungsweise Wolfskralle nicht. Gibt es Risse, Blutungen, Entzündungen an der Kralle oder am Krallenbett? Ist eine Kralle lose oder abgebrochen, oder zeigt der Hund Schmerzen, wenn Sie die einzelnen Krallen in alle Richtungen hin und her bewegen? Suchen und tasten Sie anschließend jeden einzelnen Ballen (Hand- und Daumenballen nicht vergessen) nach Verletzungen, Fremdkörpern, wunden Stellen, blasenartigen Vorwölbungen und Einstichlöchern ab. Anschließend gehen Sie genau so mit der Zwischenzehenhaut vor. Dann beugen und strecken Sie nacheinander jede Zehe. Zeigt der Hund Schmerzreaktionen? Schmatzt er? Untersuchen Sie Fell und Haut auf Fremdkörper und Verletzungen, tasten Sie die Knochen auf Schmerzhaftigkeit ab und bewegen Sie die Gelenke (vorsichtig) in alle Richtungen. An irgendeiner Stelle wird der Hund Schmerzen zeigen, oder Sie finden eine Verletzung. Dornen in Ballen oder Blasenbildung (durch ungewohnte Belastung oder Verwendung von fetthaltigen Salben vor Langstreckenläufen) sind neben Krallen- und Ballenverletzungen sicher die häufigste Lahmheitsursache. Ziehen Sie den Dorn heraus, und der Hund wird beschwerdefrei laufen. Bei Blasen hilft nur ein Schutzverband und eine vorläufige Schonung des Hundes. Manchmal findet man nichts, und der Hund läuft durch die massierenden Handgriffe bei der Untersuchung wieder normal. Findet man nichts, und geht der Hund immer noch lahm, muss der Tierarzt aufgesucht werden.

MAGENDREHUNG

Eigentlich handelt es sich hier um einen Magenerweiterungs- und Magendrehungskomplex (Torsio ventriculi).

URSACHEN

Die Magendrehung kommt bei allen größeren Hunderassen (also allen Gebrauchshunden!) vor. Besonders gefährdet sind Dogge, Irischer Wolfshund, Deutscher Schäferhund, Bernhardiner, Boxer, Dobermann und Deerhound, aber auch kleinere Rassen wie die Retriever. Bei Jungtieren kommt diese Krankheit seltener vor als bei erwachsenen Tieren. Als Ursachen kommen in Frage: Gierige und übermäßige Futteraufnahme (Zugang zum Futtersack, Futterportionen der rangniederen Hunde werden mitgefressen) und Wasser-

aufnahme; Luftschlucken (beispielsweise bei so genannten „Schluckanfällen", die bei Reizungen im Rachenbereich oder Mandelentzündung auftreten können); größere Futtermengen bei nur einmaliger Fütterung am Tag; bakterielle Gasbildung bei blähender und kohlenhydratreicher Fütterung; eine weitere wichtige Ursache ist die Tatsache, dass einige Hunde durch ihre besondere Anatomie prädestiniert sind. Auslöser für eine Magendrehung ist Bewegung des Hundes unmittelbar nach der Fütterung, sowohl übermäßige wie auch „normale", also herumtoben, treppenlaufen, spielen, sich wälzen oder einfach spazierengehen. In manchen Fällen kommt es aber auch ohne jegliche Bewegung zur Magendrehung.

SYMPTOME

Das Allgemeinbefinden des Hundes ist hochgradig gestört, der Hund ist meist unruhig, hechelt, speichelt oder würgt, ohne erbrechen zu können. Die Atmung ist flach und schnell. Der Bauch ist zunächst bretthart, später massiv aufgebläht. Der Hund hat hochgradige Schmerzen und fällt schnell in einen lebensbedrohenden Schock (schneller, kaum tastbarer Puls, kalte Pfoten und Ohren, manchmal Zittern, blasse Schleimhäute, lange KRZ, siehe auch siehe Seite 78).

▶ WAS SIE TUN KÖNNEN

Wenn es einmal soweit gekommen ist, sollten Sie sofort, auch bei Verdacht auf eine Magendrehung, so schnell Sie können einen Tierarzt aufsuchen, der sofort selbst operieren kann. Melden Sie Ihr Kommen

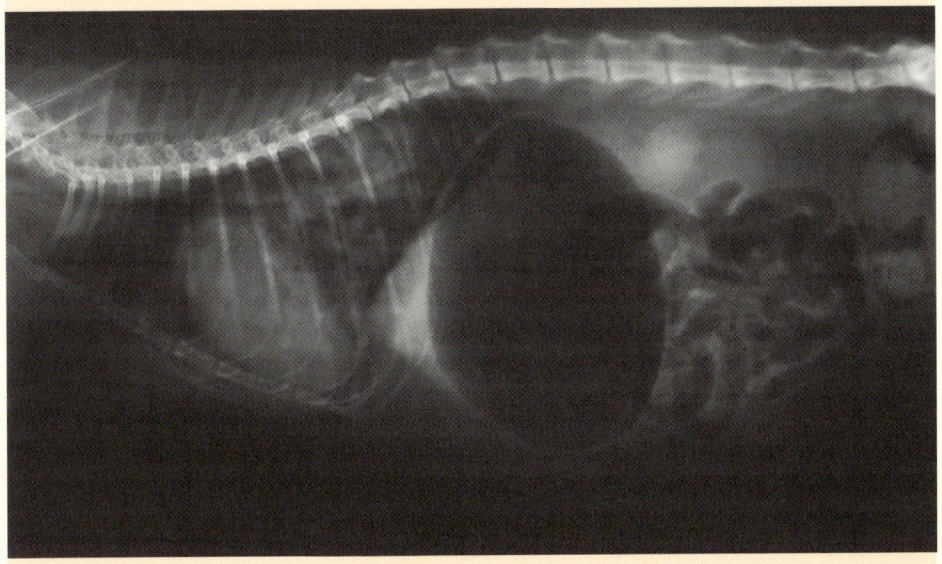

Die Röntgenaufnahme einer Magen-Aufgasung („schwarze Kugel" in der Mitte), es ist die Vorstufe zur befürchteten Magendrehung. (Foto: Tierärztliche Klinik Ketter, Löhnberg)

telefonisch an, da für diese Operation einige Vorbereitungen getroffen werden müssen. Mit jeder Minute, die verstreicht, sinken die Überlebenschancen des Hundes. Ohne Operation führt eine Magendrehung innerhalb weniger Stunden unweigerlich zum Tode. Gerade bei Zwingerhunden wird eine Magendrehung häufig nicht erkannt, der Hund liegt dann am Morgen tot im Zwinger. Ist die Magendrehung älter als fünf Stunden, ist die Überlebensrate auch mit Operation sehr gering.

VORBEUGUNG

Das einzige, was Sie gegen eine Magendrehung tun können, sind vorbeugende Maßnahmen: Der Hund muss eine halbe Stunde vor und drei Stunden nach der Fütterung absolute Ruhe haben, vermeiden Sie Verdauungsspaziergänge. Wenn Sie können, legen Sie die Fütterungszeiten so, dass der Hund bis zur typischen Aktionszeit (Spazierengehen, Spielen, Training) bereits verdaut hat.

Verhindern Sie übermäßige Futteraufnahme, teilen Sie große Futtermengen auf zwei bis drei Portionen auf, die größte Portion sollte vor einer Ruhephase im Familienalltag gegeben werden.

Füttern Sie ein hochwertiges Futter, das bei geringerer Gesamtfuttermenge ausreichend Nährwert hat und dabei hochverdaulich ist. Trockenfutter sollte eingeweicht werden. Eine „Handvoll" Futter (Quellung beachten!) verursacht noch keine Magendrehung. Gefährlich ist erst der gefüllte Magen.

PFÄHLUNGSVERLETZUNG

Unter einer Pfählungsverletzung versteht man das Eindringen eines größeren, länglichen Gegenstandes (Zaunlatte, Ast, Armierungseisen oder Ähnliches) in den Körper des Hundes. Manchmal geht es recht glimpflich ab, wenn „nur" Muskulatur und Bindegewebe betroffen sind, wenn der Fremdkörper beispielsweise in die Schulter- oder Oberschenkelmuskulatur eindringt. Sind jedoch empfindliche Körperteile wie Rachen, Hals, Brust-, Bauch- oder Beckenhöhle betroffen, handelt es sich stets um einen schwerwiegenden und leider oft tödlichen Unfall. Immer jedoch muss man wegen der meist massiven Verletzungen von Gefäßen und Nerven und der großen Infektionsgefahr mit Komplikationen und einer langwierigen Heilung rechnen. Oft bleiben körperliche Einschränkungen zurück.

URSACHEN

Der Hund kann bei unkontrollierten, heftigen Bewegungen gegen einen hervorstehenden, mehr oder weniger spitzen Gegenstand rennen und sich so eine Pfählungsverletzung zufügen. Solche Unfälle entstehen jedoch meist durch Stürze oder bei Hetzjagden durch den Wald (Spiel, Wildern) Die wohl häufigste Ursache aber sind geworfene „Stöckchen", in die der Hund hineinläuft.

WAS SIE TUN KÖNNEN

Beruhigen Sie den Hund und bewegen Sie ihn so wenig wie möglich. Manchmal versucht der Hund, sich selbst loszureißen.

Verhindern Sie das auf jeden Fall. Ist es schon passiert, bekämpfen Sie den Schock, stillen stärkere Blutungen und versorgen offene Bauch- oder Brustkorbverletzungen wie in den jeweiligen Abschnitten angegeben. Suchen Sie so schnell und schonend wie möglich einen Tierarzt auf, der den Hund sofort operieren kann.

Befindet sich der Fremdkörper noch im Hund, entfernen Sie diesen nicht, sondern sägen oder trennen den Gegenstand nötigenfalls möglichst erschütterungsfrei durch. Umpolstern Sie den Fremdkörper und gehen Sie so gut Sie können wie oben angegeben vor.

RISSWUNDEN, SCHNITT-WUNDEN, SCHÜRFWUNDEN

URSACHE

Risswunden kommen immer wieder einmal vor. Sie passieren durch Hängenbleiben an spitzen Gegenständen wie Ästen, Stacheldraht und Armierungseisen oder sie entstehen bei Beißereien durch heftiges Schütteln. Sie können oberflächlich oder sehr tief sein.

Risswunden sind an den ungleichmäßigen Wundrändern und den eher geringen Blutungen zu erkennen. Meist klaffen die Wundränder auseinander, die Wunde ist verschmutzt und oft nur gering- bis mittelgradig schmerzhaft.

Schnittverletzungen treten meist beim Spielen und Laufen an den Ballen auf, wenn der Hund in Glasscherben oder Flaschenköpfe tritt. Auch bei unvorsichtigem Klettern, Springen oder Stürzen kann es

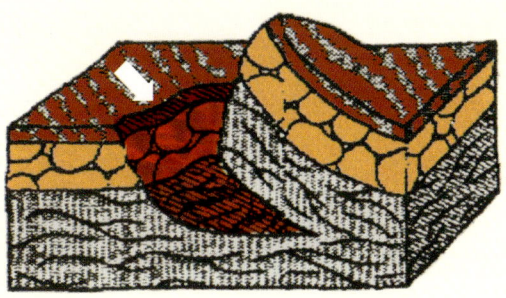

zu Schnittverletzungen an allen möglichen Körperstellen kommen. Schnittwunden sind nicht sehr schmerzhaft, bluten dafür meist stark und sind oft sehr tief, so dass wichtige Strukturen wie Sehnen, Nerven und größere Blutgefäße verletzt sein können und die Verletzung lebensbedrohlich oder mit schweren Folgen sein kann.

Eine Schürfwunde ist eine offene Wunde, die bei Berührung schmerzt, meist wenig blutet, häufig nässt und oft verunreinigt ist. Schürfwunden entstehen durch Reibung der Haut auf einer harten Oberfläche. Haare, Hautschichten und manchmal auch tiefere Gewebsschichten werden dabei abgeschürft. Kleinere Schürfwunden kommen häufig an den Ballen vor, wenn der Hund auf Asphalt plötzlich bremst (meist beim Ballspielen), oder treten in Form von „durchgelaufenen" Pfoten bei unsachgemäßem Ausdauertraining am Fahrrad auf. Große Schürfwunden an verschiedenen Körperstellen entstehen beispielsweise bei Autounfällen, wenn der Hund noch mitgeschleift oder fortgeschleudert wird.

Risswunden betreffen meistens nur die Haut. Sie haben unregelmäßige Wundränder und meist nur eine geringe Blutung. Es besteht große Infektionsgefahr. Die Wunde muss chirurgisch versorgt werden.

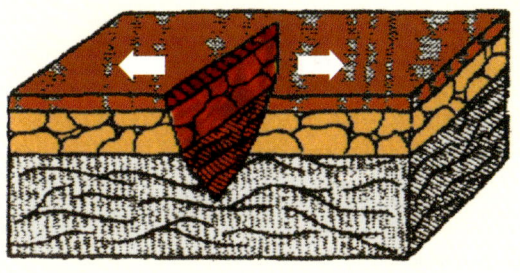

Schnittwunden können bis zum Knochen alle Gewebeschichten durchdringen. Sie haben glatte Wundränder und bluten stark, häufig klafft die Wunde. Es besteht nur geringe Infektionsgefahr.

▶ WAS SIE TUN KÖNNEN

Tiefe klaffende und größere Riss- und Schnittverletzungen müssen genäht werden, und zwar innerhalb der ersten sechs Stunden nach dem Unfall. Kleinere Wunden verheilen dagegen unter Schorfbildung auch ohne Naht. Allerdings sollte an eine antibiotische Abdeckung gedacht werden. Suchen Sie daher bei allen tiefen, klaffenden oder stärker blutenden Wunden unbedingt einen Tierarzt auf, und ziehen Sie dies auch bei kleineren Wunden in Erwägung.

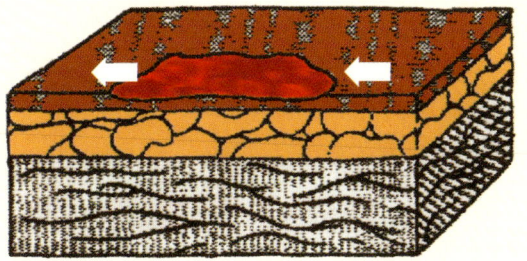

Schürfwunden betreffen vorwiegend die Oberfläche, die keine Blutgefäße hat. Meist fehlt die Blutung, aber dafür nässen sie stark. Im Allgemeinen besteht nur geringe Infektionsgefahr.

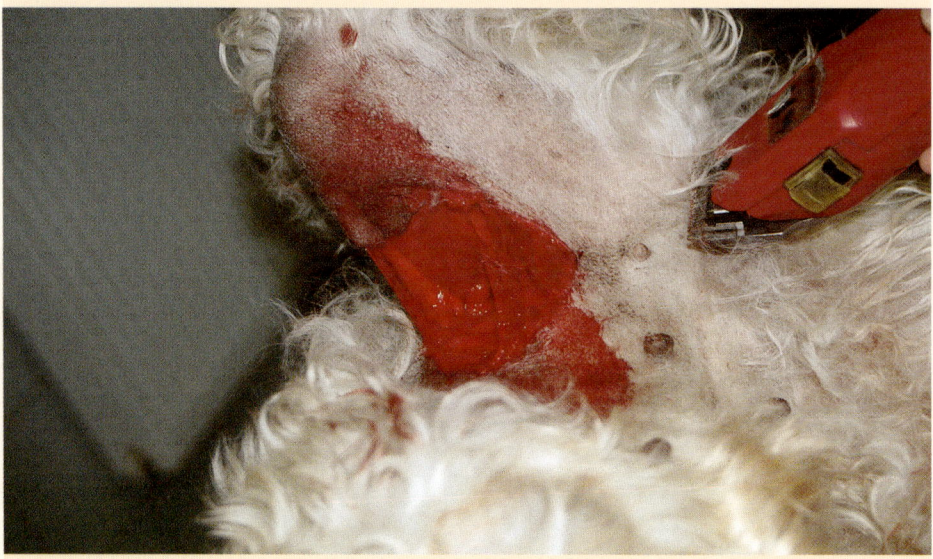

Ein missglückter Sprung über einen Jägerzaun endete für diesem Terrier mit einer tiefen Rissverletzung am Schenkel. (Foto: Tierärztliche Klinik Ketter, Löhnberg)

Bei starken Blutungen besteht immer Schockgefahr. Stillen Sie zunächst die Blutung durch längeren manuellen Druck auf die Wunde und einen Druckverband, wenn nicht anders möglich, legen Sie einen Esmarch an. (siehe Blutungen und Verband anlegen). Dann bekämpfen Sie den Schock (siehe Schock).

Kleinere Schnittwunden und Schürfwunden heilen besser, wenn Sie die Wunde freischeren, mit dreiprozentigem Wasserstoffperoxid oder Betaisdona™-Lösung spülen und Luft daran lassen. Verhindern Sie das Lecken des Hundes (durch einen Leckschutz). Bei Schnittwunden an den Pfoten legen Sie einen Pfotenverband an (siehe Verband anlegen), bei kleineren oder fast abgeheilten Wunden reicht es oft aus, beim Spaziergang einen Pfotenschuh überzuziehen. Größere Schürfwunden sind durchweg Sache des Tierarztes.

SCHOCK

Der medizinische Schock hat nichts mit dem Erschrecken zu tun. Ein Schock stellt immer einen lebensbedrohlichen Zustand dar, der so schnell wie möglich vom Tierarzt mit Medikamenten und intravenösen Infusionen behandelt werden muss.

URSACHE

Ursache ist, grob formuliert, ein Missverhältnis von zirkulierender Blutmenge und tatsächlichem Blutbedarf. Es kommt zu einem Blutdruckabfall, Sauerstoffmangel, Übersäuerung und Blutleere der meisten Gewebe und Organe, die dabei absterben oder stark geschädigt werden können. Das wenige Blut wird im Anfangsstadium zur Notversorgung der lebenswichtigen Organe Herz und Gehirn herangezogen, alle anderen Organe werden durch Verengung der

Bei einer Schocklage liegt der Hund auf der Seite. Das Hinterteil ist erhöht, der Kopf etwas überstreckt. Halten Sie Ihren Hund zusätzlich mit Decken warm. (Foto: Manuela Eckenbach-Arndt)

hinführenden Gefäße unterversorgt. Die Stärke und Frequenz der Herzschläge nehmen zu. Die Milz, die beim Hund als Blutspeicher dient, wird entleert. Gewebsflüssigkeit kann in die Kapillaren einströmen und das Blutvolumen auffüllen (Zentralisation). Wird die Schockursache schnell abgestellt, kann sich der Körper von alleine regenerieren. Hält der Schockzustand länger an, kommt es zum zweiten Stadium, das mit sofortiger tierärztlicher Hilfe noch heilbar ist. In den Gefäßen kommt es zu einer Gerinnungsstörung, die Übersäuerung und der Sauerstoffmangel der Gewebe nehmen weiter zu. Dadurch können die peripheren Gefäße (Adern in der Peripherie des Körpers wie Gliedmaßen, Haut) die Engstellung nicht mehr aufrecht erhalten, und es kommt zum dritten Stadium, dem irreversiblen Schock: Die peripheren Gefäße öffnen sich, das restliche Blut versackt in der Peripherie. Durch Stoffwechselentgleisungen wird die Herzfrequenz langsamer, schließlich versagen alle Organe und der Hund stirbt.

AUSLÖSER FÜR EINEN SCHOCK KÖNNEN SEIN

1. Hypovolämie, das heißt zu wenig Flüssigkeit im Blutgefäßsystem, verursacht durch Blutverluste bei äußerlichen oder inneren Blutungen; Plasma-, Eiweiß-, Flüssigkeits- oder Elektrolytverluste (Brand- und Quetschwunden, großflächige nässende Wunden, Bauchwassersucht, Magendrehung, Darmverschluss, Durchfall, Erbrechen, Fieber, Nierenkrankheiten, Ödeme), auch durch Schreck wird eine Weitstellung der peripheren Gefäße verursacht.

2. Kardiogener Schock, durch Herzversagen ausgelöster Schock, verursacht durch gestörte Herzfunktion und damit ver-

bundener Mangeldurchblutung. Ursachen können sein: Stumpfe Verletzung der Brustorgane durch Tritt, Schlag, Sturz, Autounfall, Herztamponade (Herzbeutel ist durch ein gerissenes Gefäß prall mit Blut gefüllt), Spannungspneumothorax, diverse Herzerkrankungen, Verlegung größerer Gefäße mit Thromben (Blutgerinnsel) oder Ähnliches, Embolien (Arterienverschluss).

3. Endotoxinschock oder bakterieller Schock, löst eine Entgleisung der Blutdruckregulierung aus: Hervorgerufen durch Infektionen mit verschiedenen Bakterien und Viren, Vergiftung, Sepsis, Abszesse, Gebärmuttervereiterung, Bauchfellentzündung, Darmverschluss.

4. Anaphylaktischer Schock durch Allergie auf Insektenstiche, Medikamente, Futtermittel oder anderes, führt zu Flüssigkeitsmangel durch umfangreiche Ödembildung und gestörte Blutgerinnung.

5. Der neurogene Schock kann durch Vergiftung, Gehirnerkrankungen und -verletzungen, plötzliche starke Schmerzen und bestimmte Medikamente hervorgerufen werden. Der Blutdruck und die periphere Durchblutung wird durch überschießende Befehle des Gehirns drastisch gesenkt.

SYMPTOME

Sehr schneller, flacher Puls, pochendes Herz, lange kapilläre Rückfüllzeit (KRZ, siehe Seite 17), blasse, aber auch verwaschen-rote Schleimhäute, schlechte Füllung der Episkleralgefäße, kalte Extremitäten und kalte Haut, der Hund kann sehr unruhig sein und hecheln, aber auch

apathisch sein. Ist der Puls an der Oberschenkelschlagader nicht mehr tastbar, besteht ein starker Blutdruckabfall, der ohne Behandlung innerhalb einer Stunde tödlich ist.

WAS SIE TUN KÖNNEN

Stellen Sie wenn möglich die Ursache ab (Blutungen stillen), stellen Sie die Atmung sicher und kontrollieren Sie die Vitalfunktionen. Halten Sie den Hund warm, beruhigen Sie ihn und bieten Sie ihm Wasser oder Traubenzuckerlösung an. Wenn möglich, legen Sie ihn in Seitenlage auf ein Brett oder eine Trage und heben das hintere Ende etwas an, so dass der Kopf tiefer liegt als der Körper. Suchen Sie so schnell wie möglich einen Tierarzt auf!

SCHUSSWUNDEN

Schusswunden kommen zum Glück selten vor, die Gefahr besteht aber für den Hund bei der Jagt oder beim freien Herumlaufen im Wald. Und natürlich, wenn der Hund ein Streuner ist oder beim Anblick eines Wildes diesem hinterher hetzt.

URSACHEN

Die Art und Schwere einer Schußverletzung hängt vom Waffen- und Projektiltyp ab. Die weitaus häufigsten Schussverletzungen entstehen durch Luftgewehrschüsse. Sie sind i.d.R. harmlos und werden vom Hundeführer meist gar nicht bemerkt. Ansonsten unterscheidet man grob in Nieder- und Hochgeschwindigkeitsgeschosse. Niedergeschwindigkeitsgeschosse sind in erster Linie Schrotkugeln, aber auch solche aus Faustfeuerwaffen und Kleinkalibergewehren. Bei einer Entfernung von 35 Metern treffen Schrotgeschosse mit einer Geschwindigkeit von 190 bis 240 Metern pro Sekunde auf. Schrotkugeln haben gewöhnlich einen Durchmesser von zwei bis vier Millimetern. Sie können bei kurzer Entfernung Knochen zerschmettern und tief in Muskulatur, Bauch- und Brusteingeweide eindringen. Ein solcher Schrotschuss aus kurzer Entfernung ist durch die großen Verletzungen in der Regel augenblicklich tödlich. Aus größerer Entfernung streut er stark, so dass der Hund nur von einzelnen Kugeln getroffen wird. Die Wunden sind immer stark mit Haaren, Gras, Laub und Bestandteilen der Patronenfüllung verschmutzt, die vom Schrot mitgerissen werden. Jedoch dringen diese Kugeln meist nur bis in die Unterhaut und die oberflächliche Muskulatur ein. Durch die hohe Energie, mit der die Kugeln auftreffen, kann es dennoch augenblicklich zu einem tödlichen traumatischen Schock kommen. Hochgeschwindigkeitsgeschosse aus Jagd- oder Militärwaffen erreichen auch aus großen Distanzen Geschwindigkeiten von 910 Metern pro Sekunde. Durch die hohe Aufprallenergie ist solch ein Schuss durch den traumatischen Schock sofort tödlich.

SYMPTOME

In der Regel wird der Hundeführer den Schuss hören, manchmal wird er den angeschossenen Hund jaulen oder winseln hören. Schrotgeschosse verursachen entweder eine flächige, teilweise tiefe Wunde,

die stark bluten kann. Oder es kommt zu vielen kleinen, stich- oder bissähnlichen Wunden, die manchmal nicht bemerkt werden. Niedergeschwindigkeitsgeschosse aus Faustfeuerwaffen sind meist Steck- oder Durchschüsse, wobei Ein- und Ausschuss nahezu gleich groß sind und der Schusskanal eng begrenzt ist. Sofern keine lebensgefährlichen Blutungen auftreten und der Hund den traumatischen Schock überlebt, sind diese beiden Geschosssorten die ungefährlicheren.

Sogenannte Vollmantelgeschosse führen zu Steck- oder glatten Durchschüssen, sofern es sich nicht um Querschläger handelt, die wie Deformationsgeschosse reagieren. Die Einschusswunde ist meist kleiner als der Ausschuss. Durch innere Verletzungen kommt es zu entsprechend starken Blutverlusten. Sogenannte Deformationsgeschosse pilzen beim Aufschlag auf den Körper auf und reißen große innere Wunden oder zerlegen sich sogar im Körper, wobei die Splitter den ganzen Körper durchdringen können. Deformationsgeschosse führen zu massiven äußerlichen und inneren Verletzungen. Die Ausschusslöcher bei den letztgenannten Geschossen sind erheblich größer als die Einschüsse.

▸ WAS SIE TUN KÖNNEN

Stillen Sie, so gut es geht, die Blutungen, bekämpfen Sie den Schock und sichern Sie die Atmung. Überprüfen Sie ständig die Vitalfunktionen und bringen Sie den Hund sofort in eine Tierklinik oder zu einem Tierarzt, der diese Verletzung umgehend operieren kann. Auch leichtere Schusswunden (Streifschuss, Schrot aus großer

Entfernung) gehören unbedingt in tierärztliche Behandlung, da sie in der Tiefe ausgeprägter sein können als es von außen den Anschein hat. Auch hier müssen Sie stets mit einem Schock rechnen, der auch verzögert einsetzen kann. Verbinden Sie die Wunden, wurde ein Bein zertrümmert, legen Sie einen Robert-Jones-Verband (siehe Seite 64) an, und gehen Sie ansonsten genau so wie bei einer schweren Schussverletzung vor.

SONNENBRAND

URSACHEN

Sonnenbrand entsteht hin und wieder bei Hunden mit kurzem Fell und heller Haut sowie bei frisch geschorenen Hunden. Gerne tritt Sonnenbrand am unpigmentierten Nasenrücken, besonders bei empfindlichen Hunden, auf. Ausschlaggebend ist eine ungewohnt starke und lange Sonneneinstrahlung (Hochgebirge, Strand).

Manchmal kann es durch Kontakt mit bestimmten Pflanzensäften (Johanniskraut, Schafgarbe, Herkulesstaude) beim Stöbern oder dem Spaziergang bei kurz-

Der Pflanzensaft der Herkulesstaude in Verbindung mit Sonnenlicht ruft Verätzungen hervor.

haarigen, hellhäutigen Hunden zu erhöhter UV-Empfindlichkeit der entsprechenden Hautstellen und zu Sonnenbrand kommen.

SYMPTOME

Meist auf unpigmentierte, kleine Stellen begrenzte Rötung der Haut, manchmal Blasenbildung. Die Haut ist heiß, schmerzhaft und entzündet.

Beim seltenen, großflächigen und hochgradigen Sonnenbrand kann es zu gestörtem Allgemeinbefinden und Verbrennungssymptomen kommen.

▶ WAS SIE TUN KÖNNEN

Beim schweren Sonnenbrand müssen Sie einen Tierarzt aufsuchen. Haben Sie einen bekannt empfindlichen Hund, können Sie die betroffenen Hautstellen vorbeugend mit Sunblocker behandeln, bevor Sie den Hund längere Zeit der Sonne aussetzen. Ist es bereits passiert, kühlen Sie die Stellen, Sie können auch Après-Sun oder Actihämyl-Gel™ auftragen (der Hund sollte das allerdings nicht ablecken). Der Hund sollte Sonne meiden, bis die Stelle abgeheilt ist.

STROMUNFÄLLE

URSACHEN

Mitunter zernagen junge Hunde Stromkabel und werden dadurch verletzt. Stromschläge durch Elektrozäune dagegen sind für den Hund ein schmerzhaftes und erschreckendes Erlebnis, aber für die Gesundheit ungefährlich.

SYMPTOME

Wenn Strom durch den Körper fließt, verursacht er zunächst große Schmerzen. Durch Schreck und Schmerz kommt es zum Schock. Die willkürliche Gewalt über die Muskulatur geht verloren, es kommt zu Muskelverkrampfungen. An den Ein- und Austrittsstellen, aber unter Umständen auch im Flusskanal des Stroms kommt es zu teilweise schwersten Verbrennungen. Die Reizleitung des Herzens, die schließlich auch durch elektrische Ströme funktioniert, wird gestört. Es kann zum gefürchteten Kammerflimmern und anschließend zum Herzstillstand kommen.

▶ WAS SIE TUN KÖNNEN

Vorsicht, bringen Sie sich nicht selber in Gefahr! Bevor der Hund geborgen werden kann, muss die Stromzufuhr unterbrochen werden. Ist der Hund bei Bewusstsein, kontrollieren Sie die Vitalfunktionen, und versorgen Sie Brandwunden wie im entsprechenden Kapitel beschrieben.

Sie können davon ausgehen, dass der Hund einen Schock hat, behandeln Sie ihn entsprechend. Rechnen Sie jederzeit damit, dass der Hund bewusstlos werden kann. Ist der Hund bewusstlos, kontrollieren Sie Atmung und Puls und reanimieren Sie ihn gegebenenfalls, bis Sie beim Tierarzt eintreffen.

Auch wenn der Hund augenscheinlich einen Kreislaufstillstand hat, sind die Erfolgschancen für die Wiederbelebung durch den Tierarzt relativ gut, wenn Sie die Zeit bis dahin überbrücken können. Selbst wenn es dem Hund anscheinend gut geht, suchen Sie auf jeden Fall einen Tierarzt auf, weil es auch noch später zu schweren Schockreaktionen oder Herzproblemen kommen kann.

UNTERKÜHLUNG

Die normale Körpertemperatur beträgt beim Hund 38 bis 39° C. Unterschreitet die rektal gemessene Temperatur 38° C, kommt es zunächst zur Untertemperatur, unterhalb von 37° C spricht man von Unterkühlung. Unterkühlungen sind beim Hund viel seltener als beim Menschen, da er über wirkungsvollere Wärmeerhaltungs-Mechanismen verfügt. Die meisten Hunde können Kälte viel besser ertragen als Hitze. Ausnahmen bilden kurzhaarige Hunde mit wenig oder fehlender Unterwolle. Leichte Unterkühlungen können zu Erkältungs- und Blasenkrankheiten führen, schwere stellen einen lebensbedrohlichen Zustand dar. Heftige Bewegung bei kalter Muskulatur führt oft zu Zerrungen und Verletzungen der Muskeln.

URSACHEN

Unterkühlung kann auftreten, wenn der Hund längere Zeit bei niedrigen Außentemperaturen mit nassem Fell oder auf nassem Untergrund ausharren muss. Wind verschlimmert die Situation.

Besonders kranke oder verletzte Tiere sowie Welpen sind gefährdet, ebenso sind Unterkühlungen bei Eis- und Ertrinkungsunfällen häufig. Auch bei längeren Fahrten in einem offenen Auto kann es zur Unterkühlung kommen (kalter Boden plus Zugluft).

VORBEUGEN

Vermeiden Sie es, den Hund längere Zeit auf kaltem oder nassem Boden abzulegen, verwenden Sie eine isolierende Unterlage. Wird Ihr Hund bei kalten Außentemperaturen durchnässt (Schwimmen), geben Sie ihm Gelegenheit, sich warm zu laufen. Muss er nass ins Auto oder in eine Box, trocknen Sie ihn möglichst gut ab, sorgen Sie für eine dicke, saugfähige Unterlage und verhindern Sie Zugluft. Damit die Gefahr von Muskelzerrungen vermindert wird, verhindern Sie, dass der Hund extreme Bewegungen macht, bevor er sich warm laufen kann. Ist der Hund längere Zeit ungewohnt kalten Temperaturen ausgesetzt, sorgen Sie unterstützend für eine hochwertige, hochkalorienreiche Ernährung mit einem Hochleistungsfutter mit hohem Fettgehalt.

SYMPTOME

Der Hund friert, er zittert, hebt die Pfoten einzeln hoch; die Ohren, Beine und später die gesamte Körperoberfläche fühlen sich kalt an. Im fortgeschrittenen Stadium hört das Zittern auf, der Hund wird schläfrig und bewegt sich nur noch ungern, schließlich tritt Bewusstlosigkeit ein.

▶ WAS SIE TUN KÖNNEN

So lange der Hund noch zittert, sorgen Sie für Bewegung. Lassen Sie den Hund an der Leine neben sich her traben oder galoppieren. Ist das nicht möglich, sorgen Sie für eine isolierende Unterlage und warme Decken. Bieten Sie ihm warmes Wasser, (eventuell angereichert mit Traubenzucker), Brühe und Suppe oder angewärmtes Fut-

ter an, verhindern Sie jede Zugluft. Auch eine Wärmflasche oder Körperkontakt mit einem anderen Hund oder mit Ihnen wärmt ihn auf.

Ist der Hund bereits in einem Stadium, in dem er nicht mehr zittert, verhindern Sie jede unnötige Bewegung des Hundes. Decken Sie ihn gut ein, aber erwärmen Sie ihn nicht von außen. Solange er noch bei Bewusstsein ist, bieten Sie ihm warme Flüssigkeit an (siehe oben). Bringen Sie ihn schnell, aber schonend zu einem Tierarzt.

VERBRENNUNGEN UND VERBRÜHUNGEN

SYMPTOME

Verbrennungen sind immer äußerst schmerzhaft und können Panikreaktionen beim Hund hervorrufen. Großflächige oder hochgradige Verbrennungen können lebensgefährlich sein, immer muss mit (oft schwerem) Schock und hochgradigem Flüssigkeitsverlust gerechnet werden.

Neben der Gefahr der Verbrennungskrankheit ist auch die Infektionsgefahr bei schweren Verbrennungen gefürchtet. Verbrannte Stellen sind gerötet, heiß und sehr schmerzhaft. In schlimmeren Stadien kommt es zur Blasenbildung, schließlich geht die Haut in Fetzen ab, es kommt eine stark nässende, entzündliche Oberfläche zustande. Im schlimmsten Fall ist das Gewebe verkohlt und abgestorben.

Verbrühungen sind zum Glück recht selten, meist passieren sie zu Hause, wenn der neugierige oder hungrige Hund den Topf mit kochender Suppe oder Ähnlichem vom Herd reißt. Großflächige Verbrühungen können lebensgefährlich sein, aber auch kleinere Stellen können zu Komplikationen führen.

▶ WAS SIE TUN KÖNNEN

Außer bei punktuellen, leichten Verbrennungen suchen Sie immer umgehend den Tierarzt auf. Bis dahin kühlen Sie die betroffene Hautstelle durch Übergießen mit kaltem Wasser oder nach Abdecken mit einem Brandwundentuch durch Auflegen von Cool-Packs, Kühlakkus oder Eisbeuteln.

Beruhigen Sie den Hund. Bieten Sie ihm Trinkwasser an, das mit Elektrolyten angereichert sein sollte.

Bei leichten und punktuellen Verbrennungen kühlen Sie die Wunde wie oben und decken sie anschließend mit einer sterilen Kompresse ab, die Sie je nach Lokalisation mit einem Klebe- oder Wickelverband befestigen.

Verbrühungen sind hochgradig schmerzhaft. Einerseits ist der Hund durch das Fell zu einem gewissen Grad geschützt, andererseits hält das nasse, dichte Fell die Hitze. Stellen Sie den Hund sofort in die Badewanne und brausen Sie ihn mit kaltem Wasser ab, mindestens zehn Minuten lang.

Im Notfall geht es auch mit dem Gartenschlauch, ein paar Eimern Wasser oder mit einem Bad im Bach. Bedecken Sie offene Stellen locker mit einem Brandwunden-Verbandtuch und vermeiden Sie jede Berührung und jeden Druck an den betroffenen Stellen. Anschließend stellen Sie das Tier dem Tierarzt vor.

VERGIFTUNGEN UND VERÄTZUNGEN

Vergiftungen können durch Fressen des Giftes, durch Hautkontakt oder durch Einatmen geschehen. Oft handelt es sich bei einer vermeintlichen Vergiftung in Wirklichkeit um Krankheiten wie Parvovirose oder Magendrehung.

Vergiftungsmöglichkeiten bestehen für den Hund durch Grasen von gespritztem Getreide oder Giftpflanzen (etwa Herbstzeitlose), Auflecken von Flüssigkeiten beziehungsweise Ablecken der kontaminierten Pfoten und somit Aufnahme von Säuren, Laugen, alkoholischen Getränken oder Frostschutzmittel, durch Fressen von Rattengiftködern (diese Cumarin-Vergiftung ist die häufigste Vergiftung beim Hund, siehe auch Kap. „Blutungen"), Schneckenkorn, Tabletten, oder verdorbenem Futter (Kadaver, gärendes Dosenfutter ...); durch Hautkontakt mit Mineralölen und flüchtigen Stoffen; durch Einatmen von Rauchgasen, Benzoldämpfen, Schwefelwasserstoff, Ammoniak, Säuredämpfen, Kohlendioxid oder Kohlenmonoxid.

Auch unsachgemäße Verabreichung von Medikamenten führt zur Vergiftung.

Beachten Sie die Warnlogos auf Verpackungen und verwahren Sie die Behältnisse an sicheren Orten, zu denen der Hund keinen Zugang hat.

Das Tückische an vielen Giften ist, dass sie oft keine Sofortwirkung zeigen, sondern erst nach einiger Zeit zu wirken beginnen. Selbst wenn der Hund erbricht und so einen Großteil des Gifts herausbefördert, können die geringen restlichen, bereits vom Körper aufgenommenen Giftmengen Spätschäden anrichten.

Bei Verätzungen kommen ätzende Haushaltschemikalien, Batteriesäure oder als häufigste Ursache ungelöschter Kalk in Frage. Verätzungen heilen sehr schlecht und sehr langsam ab, besonders oft sind die Ballen betroffen.

SYMPTOME

Je nach Art des Giftes können die unterschiedlichsten Symptome auftreten. Alle Möglichkeiten hier aufzuzählen würde den Umfang des Kapitels sprengen.

TYPISCHE GIFTWIRKUNGEN SIND

- Störungen des zentralen Nervensystems: Erregungszustände, Unruhe, Zittern, unkoordinierte Bewegungen, Krämpfe, Lähmungen, Pupillenveränderungen, Bewusstseinsstörungen, Bewusstlosigkeit.
- Magen-Darm-Symptome: Futterverweigerung, Übelkeit mit Speichelfluss, Erbrechen, Verstopfung oder Durchfall.
- Lungen-Symptome: Husten, Atemnot, Blauverfärbung der Schleimhäute, veränderte Atembewegungen, Atemstillstand, Geruchsveränderung der Ausatemluft.
- Herz-Kreislauf-Symptome: Blauverfärbung oder Blässe der Schleimhäute, Schock, unrhythmischer, zu schneller oder zu langsamer Puls.
- Nieren-Symptome: Wenig oder gar kein Harnabsatz, Veränderung von Geruch und Farbe des Harns, Blutbeimengungen.
- Haut-Symptome: Blässe, Rötungen, Blutungen (bei Cumarin meist rote, nadelstichartige Unterhautblutungen, gut sichtbar an den Schleimhäuten), Gelbsucht, Ausschlag, bläuliche Verfärbung der Haut, Schleimhautverätzungen (weißer Schorf bei Säuren, brauner bei Laugen).

Je nach Gift ist die Kombination der Symptome unterschiedlich. Manchmal sind die Symptome deutlich, manchmal kaum zu erkennen. Haben Sie gesehen, dass der Hund Gift aufgenommen hat, fahren Sie auch dann sofort zum Tierarzt,

DIE NOTRUFNUMMERN DER GIFTNOTRUFZENTRALEN SIND:

IN DEUTSCHLAND
Bonn (02 28) 2 87 32 11
Berlin (0 30) 4 50-5 35 55
Berlin (0 30) 1 92 40
Erfurt (03 61) 73 07 30
Göttingen (05 51) 38 31 80
Mainz (0 61 31) 23 24 66 oder 1 92 40
Homburg/Saar (0 68 41) 1 92 40

Freiburg (07 61) 1 92 40
München (0 89) 1 92 40
Nürnberg (09 11) 3 98 24
IN ÖSTERREICH
(00 43) 22 22 – 4 04 00 22 22
oder Notruf 43 43 43
IN DER SCHWEIZ
(00 41) 1 – 2 51 51 51

wenn er noch keine Symptome einer Vergiftung zeigt! Wenn Sie erst auf das Auftreten von Krankheitsanzeichen warten, kann es für den Hund bereits zu spät sein.

Bei Verätzungen sind die betroffen Stellen ausgesprochen schmerzhaft. Die Haut ist im leichten Fall stark gerötet, oder sie sieht wie geronnen aus, es bildet sich weicher weißlicher oder bräunlicher Schorf. Es können sich Blasen bilden, darunter liegt „rohes Fleisch", und die betroffenen Stellen nässen.

Meist kann man am scharfen Geruch eine Verätzung erkennen. Achten Sie auf Behälter mit dem orangen Gefahrenkennzeichen und der entsprechenden Aufschrift „corrosive".

▶ Was Sie tun können

Suchen Sie im Zweifel immer so schnell wie möglich den Tierarzt auf! Nehmen Sie die Verpackung des Giftes, den Beipackzettel, den Rattengift-Warnzettel, eventuell Erbrochenes und eine Probe des Giftes mit! Sie erleichtern es dem Tierarzt so, das passende Gegenmittel zu finden.

Wenn Ihr Hund etwas Giftiges gefressen hat

Wenn Ihr Hund von alleine erbricht, unterstützen Sie ihn dabei und fangen Sie das Erbrochene auf. Geben Sie dem Hund KEIN Salzwasser, um ihn zum Erbrechen zu bringen! Diese Methode funktioniert beim Hund selten oder erst in einer Dosierung, die zu Kochsalzvergiftung und Nierenschäden führen kann. Ihr Tierarzt hat wirksamere Möglichkeiten, um den Hund zum Erbrechen zu bringen.

Geben Sie dem Hund so viel medizinische Kohle ein „wie reingeht", und zwar ein bis zwei Kompretten pro Kilogramm Hund. Bei einem 30-Kilogramm-Hund sind das bis zu 60 Kompretten, also eine ganze N3-Packung. Die Aktivkohle saugt Giftstoffe regelrecht auf und speichert sie auch, wenn der Darmtrakt passiert wird. Die optimale Wirkung setzt ein, wenn Sie die Kohle vorher in etwas Wasser auflösen und dem Hund als dickflüssige Suspension eingeben, es geht aber auch so.

Bieten Sie Ihrem Hund dann frisches Trinkwasser an, damit sich im Magen reichlich Kohlesuspension bilden kann und das Gift verdünnt wird. Weisen Sie den Tierarzt auf jeden Fall auf die Kohleverabreichung hin.

Kontrollieren Sie die Vitalfunktionen. Führen Sie, wenn nötig, eine Beatmung durch. Jedoch Vorsicht bei Kontaktgiften wie E 605 (Pflanzenschutzmittel, schon lange vom Markt, findet sich aber immer noch als Restbestand in Schuppen und Kellern)! Jeder Hautkontakt führt auch bei Ihnen unweigerlich zur Vergiftung!

Wenn Ihr Hund Hautkontakt mit Giften und Säuren hat

Bei Giften schneiden Sie das kontaminierte Fell großzügig ab und waschen die betroffenen Hautstellen mit fließendem Wasser und Seife gründlich ab. Mineralöle lassen sich hervorragend mit Spülmittel entfernen (nie zu Waschbenzin oder Alkohol greifen!). Und achten Sie darauf, dass der Hund das Waschwasser nicht trinkt!

Bei Verätzungen waschen Sie die betroffenen Stellen so schnell wie möglich mit viel fließendem Wasser aus. Sowenig säurehaltiges Spülwasser wie möglich sollte dabei über gesunde Hautstellen fließen. Tragen Sie beim Hantieren mit dem Hund unbedingt zwei bis drei Gummihandschuhe übereinander, da Sie sich selber Verätzungen zufügen können. Decken Sie die betroffenen Stellen locker mit einem Brandwundenverbandtuch ab und bringen Sie den Hund zum Tierarzt. Ist der Hund mit ungelöschtem Kalk kontaminiert, verzichten Sie auf Wasser! Erst in Verbindung mit Feuchtigkeit setzt die ätzende Wirkung von Kalk ein. Schneiden Sie das Fell an den betroffenen Stellen rigoros ab. Benutzen Sie, wenn vorhanden, einen Staubsauger oder tupfen Sie die geschorenen Stellen mit Klebeband oder einem Tuch ab, das mit Speiseöl benetzt ist (es geht auch Paraffin oder Ballistol).

Pusten Sie bloß nicht. Es besteht die Gefahr, dass Kalk in die Augen von Hund und Mensch gerät. Ist das dennoch passiert, spülen Sie das Auge von der Nase weg mit einem Wasserstrahl aus. Ist die kontaminierte Hautstelle bereits feucht geworden (Regen), spülen Sie den Kalk an dieser Stelle mit reichlich Wasser im scharfen Strahl ab.

WENN IHR HUND ATEMGIFTE EINGEATMET HAT

Bringen Sie den Hund schnellstens aus dem Gefahrenbereich! Beachten Sie dabei unbedingt den Selbstschutz. Hier gehen Menschenleben eindeutig vor! Bringen Sie den Hund an die frische Luft; wenn vorhanden, sollten Sie Sauerstoff verabreichen.

Dazu legt man den Sauerstoffschlauch in ein Nasenloch oder den leicht geöffneten Fang (letzteres geht meist nur beim bewusstlosen Hund, man legt eine Zehn-Milliliter-Spritze oder Ähnliches als Beißschutz zwischen die Kiefer).

Hat der Hund einen Atemstillstand oder zeigt er Atemnot, beatmen Sie den Hund. Kontrollieren Sie die Schleimhautfarbe und die Vitalfunktionen. Bringen Sie den Hund schnellstens zu einem Tierarzt! Das Gefährliche an einer Rauchgasvergiftung ist die Entstehung einer Lungenverätzung und eines Lungenödems.

WIRBELSÄULENPROBLEMATIK, LÄHMUNG

URSACHEN

Ursachen für eine akute Wirbelsäulenverletzung sind starke äußere Gewalteinwirkungen wie Autounfall, Sturz, Beißerei oder Schussverletzung. Bei diesen Verletzungen kommt es zu einer Fraktur oder Verschiebung der einzelnen Wirbel. Im Wirbelkanal läuft das empfindliche Rückenmark, von dem seitlich Nervenstränge durch bestimmte Öffnungen zwischen den Wirbeln abzweigen, die den Körper mit Nerven versorgen.

Bei einer Wirbelsäulenverletzung kann es zu einer Schädigung des Rückenmarks oder der abgehenden Nerven kommen. Solche Verletzungen können zu Ausfallserscheinungen bis hin zur Lähmung führen. Im schlimmsten Fall ist das Rückenmark durchtrennt, was eine unheilbare Querschnittslähmung zur Folge hat.

Viele leichtere Verletzungen können wieder heilen.

Neben dieser verletzungsbedingten Wirbelsäulenproblematik kommt es beim Hund häufig zu Bandscheibenerkrankungen. Durch Degenerationsprozesse ändert sich die Elastizität der Bandscheibe, so dass der Kern sich in Richtung Rückenmark vorwölbt; im schlimmsten Fall reißt die Umhüllung, und der Kern kann unter hohem Druck in das Rückenmark schießen und dieses zerstören. Ein (teilweiser) Bandscheibenvorfall ist immer die Folge einer längeren Bandscheibenerkrankung, wird aber meist durch eine übermäßige Belastung oder auch nur durch eine einfache Bewegung ausgelöst. Sollte Ihr Hund Schmerzen beim Springen oder bei bestimmten Bewegungen der Wirbelsäule haben, lassen Sie ihn frühzeitig von einem Tierarzt untersuchen, da dies Vorboten einer Bandscheibenerkrankung sein können. Die Bandscheiben sitzen als Puffer zwischen den einzelnen Wirbelkörpern. Sie bestehen aus einem gallertigen Kern und einer faserigen Umhüllung.

SYMPTOME

Je nach Ursache und Grad der Erkrankung kann der Hund große Schmerzen haben: Er meidet jede Bewegung, die Pupillen sind groß und der Puls ist schnell, er zittert oder beißt um sich. Manche Hunde schreien oder winseln bei bestimmten Bewegungen, sie gehen ungewöhnlich, sie stehen steif und mit aufgekrümmtem Rücken da und trauen sich nicht, sich zu legen. Weiter kann es zum Nachschleifen der Hinter- aber auch der Vordergliedmaßen kommen, die gefühllos werden können (keine Reaktion beim Kneifen der Zwischenzehenhaut).

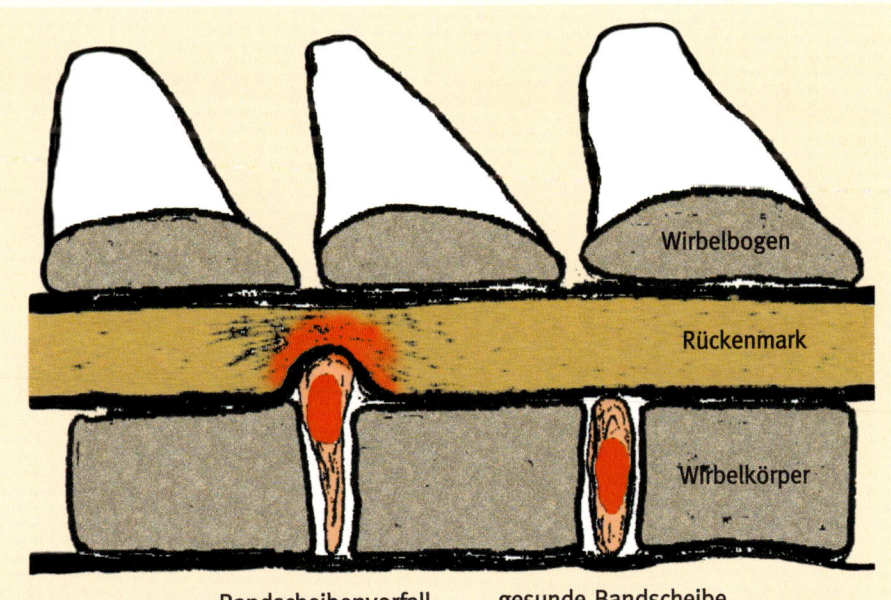

Die Bandscheibe besteht aus einer derb-faserigen Hülle und einem gallertartigen Kern. Bei einem Vorfall (hier links) reißt die Hülle und der Kern fällt vor und quetscht an dieser Stelle das Rückenmark.

Bei schwereren Verletzungen des Rückenmarks kann es zur vollständigen Lähmung des Körpers hinter der Verletzungsstelle kommen. Dabei verliert der Hund häufig die Kontrolle über Blase und Enddarm, es kann sich aber auch ein Unvermögen zum Harnabsatz einstellen. Je nach Schwere und Lokalisation der Verletzung kann es zu Bewusstlosigkeit, Atemstillstand, Magen-Darm-Blutungen, Darmverschluss und zum Tod kommen.

▶ WAS SIE TUN KÖNNEN

Bringen Sie den Hund so schnell und schonend wie möglich zu einem Tierarzt, der röntgen und gegebenenfalls selbst operieren kann. Vermeiden Sie jeden unnötigen Transport. Denken Sie bei schmerzhaften Tieren an einen Beißschutz. Beruhigen Sie das Tier und überprüfen Sie die Vitalfunktionen.

Untersuchen Sie es nach einem Unfall auf weitere Verletzungen, aber bewegen Sie den Hund so wenig wie möglich. Sorgen Sie für Wärmeerhaltung.

Wenn der Hund noch stehen kann, verhindern Sie jedes unnötige Gehen, lassen Sie ihn nicht springen oder Treppen laufen. Kleinere Hunde tragen Sie im Körbchen.

Größere Hunde tragen Sie wie im Kapitel Heben, Tragen und Fixieren beschrieben. Wenn irgendwie möglich, schiebt man ein Brett, eine Trage oder Ähnliches. unter den Hund, der in Seitenlage liegen sollte und gegen Abwehrbewegungen von einer Person fixiert wird. Gelähmte Hunde fixiert man während des Transports auf einer Trage.

ZECKENBEFALL

Zecken (meist Holzböcke, Ixodes rhizinus) sind in der wärmeren Jahreszeit allgegenwärtige Plagegeister.

Sie sitzen besonders im hohen Gras, in Büschen und Unterholz. Zecken können gefährliche Krankheiten übertragen, so die Borreliose und die FSME (Frühsommer-Meningo-Enzephalitis), eine Gehirnhautentzündung.

In südlichen Ländern (Urlaub) können noch weitere gefährliche Krankheiten übertragen werden.

Mittlerweile gibt es in einigen Regionen Deutschlands Anzeichen dafür, dass auch heimische Zecken einige dieser „exotischen" Krankheiten übertragen können.

▶ WAS SIE TUN KÖNNEN

Da man bisher beim Hund nur gegen Borreliose impfen kann, gilt hier die Vorbeugung gegen Zeckenbefall.

Wirksame Mittel sind beim Tierarzt erhältlich (zum Beispiel Exspot™). Ungezieferhalsbänder aus der Apotheke oder dem Zoohandel bieten keinen hinreichenden Schutz. Dasselbe gilt für Haus- und Naturmittel wie Knoblauch, Zitrusöle, Teebaumöl und andere.

Sollten Sie eine Zecke an Ihrem Hund finden (nach jedem Spaziergang kontrollieren), entfernen Sie die Zecke sofort. Je kürzer der Parasit saugen kann, desto geringer ist die Gefahr der Erregerübertragung.

Dazu fassen Sie die Zecke so nah wie möglich an ihrem Kopf, das heißt direkt an der Hundehaut. Als sinnvolle und preisgünstige Hilfsmittel gibt es dazu spezielle Zeckenzangen. Drehen Sie die Zecke nun ohne zu ziehen in eine Richtung, bis sie abfällt. Ob sie dabei links- oder rechtsherum drehen, ist egal, eine Zecke hat kein Gewinde! Vernichten Sie den Parasiten, damit er keine Eier legen kann.

Töten Sie die Zecke NIE VOR dem Entfernen durch Auftragen von Öl, Ballistol, Aceton oder ähnliches ab. Die Zecke würde erbrechen wenn sie stirbt, und somit die Krankheitserreger erst recht in die Wunde geben.

Sie können nach Entfernung der Zecke die Bissstelle mit Betaisdona™-Lösung betupfen. Oft entsteht an der Bissstelle eine bis kastaniengroße Schwellung, die aber wieder verschwindet.

Die Zecke: Ixodes rhizinus (Foto: Pfizer Tiergesundheit)

Mit einer Pinzette oder Zeckenzange wird die Zecke herausgedreht. (Foto: Infohund/Eva-Maria Krämer)

Glossar

ACTIHÄMYL-GEL: Medikament zur Behandlung von Brandwunden.

ANAPHYLAKTISCHER SCHOCK: Durch eine schwere, plötzliche Allergie kommt es zu starkem Blutdruckabfall und Schäden an den Gefäßen, was zum Schock führt.

ANEURYSMA: Erkrankung einer Ader, bei der die Gefäßwand ganz dünn wird und sich blasenartig vorstülpt.

ARTERIA FEMORALIS: Oberschenkelschlagader.

ATEMZUGVOLUMEN: Die Luftmenge, die pro Atemzug eingeatmet wird.

BORRELIOSE: Durch Borrelia burgdorferi (Bakterie) ausgelöste Krankheit, die zu Fieber, Gelenkschmerzen und weiteren Symptomen führen kann. Frühzeitige Behandlung mit Antibiotika, vorbeugen durch Impfung.

BULBUSPROLAPS: Vorfall oder Herausfallen des Augapfels.

COOL-PACK: Kunststoffkissen, das mit einem Gel gefüllt ist, durch Aufbrechen eines innenliegenden Beutels entsteht eine chemische Reaktion, die Kälte beziehungsweise Wärme verbreitet.

DIGESTIONSTRAKT: Verdauungstrakt.

EISEN-III-CHLORID: Blutstillendes Mittel. Vorsicht, Flecken gehen nicht merh raus.

ENDOTOXINSCHOCK: Durch Bakteriengifte ausgelöster Schock.

EPISKLERALGEFÄSSE: Die feinen Äderchen auf dem Weißen des Auges (Sklera).

ESMARCH: (Chirurg 1823-1908) erfand eine spezielle Abbindetechnik, hier als Abbindung bei starken Blutungen bezeichnet.

FRAKTURSPALT: Bruchspalt, Stelle, an der sich die Bruchenden eines Knochens gegenüberstehen.

FSME: Frühsommer-Meningo-Enzephalitis, wird durch Virus übertragen, das im Zeckenspeichel vorkommt. Es kommt zur Gehirn- und Gehirnhautentzündung. Impfung noch nicht möglich. Vorsorgebehandlung gegen Zecken. Impfung beim Hund ist noch nicht möglich.

HÄMATOTHORAX: In das Vakuum der Brusthöhle dringt Blut ein, wodurch die Atmung beeinträchtigt bis unmöglich wird.

HYPOVOLÄMIE: Zuwenig Flüssigkeit im Blutgefäßsystem, das Blut wird dickflüssig und zäh. Wenn es nicht mehr richtig fließt, kann es gerinnen.

HYPOVOLÄMISCHER SCHOCK: Schock durch Flüssigkeitsmangel, z.B. bei Verlust von Blut und Gewebsflüssigkeit.

INFUSIONSLÖSUNG: Spezielle, keimfreie Flüssigkeit

KAPILLÄRE RÜCKFÜLLUNGSZEIT: Auch KRZ genannt. Die Zeit, die das Blut benötigt, um die feinsten Gefäße im Gewebe (zum Beispiel Zahnfleisch) an einer Druckstelle nach Abstellen des Drucks wieder zu durchbluten, normalerweise ein bis zwei Sekunden, die Farbe wechselt von weiß nach rosa.

KARDIOGENER SCHOCK: Durch Herzversagen ausgelöster Schock.

KOHLESUSPENSION: In Wasser aufgelöste Kohlekompretten oder Kohlepulver.

KONTAMINIERT: Verunreinigt, verseucht.

LIDSCHLUSSREFLEX: Automatischer Schluss der Lider bei Berührung des Auges.

LOCHIALSEKRET: Schleim und Flüssigkeit, die nach der Geburt bei der Rückbildung der Gebärmutter entstehen.

NEOPREN: Kunststoff, wird unter anderem bei Tauchanzügen verwendet.

NEUROGENER SCHOCK: Bei Gehirn- und Rückenmarksverletzungen ausgelöster Schock. Die Nerven, welche die Kreislauffunktionen steuern sollen, sind beschädigt oder zerstört.

ÖDEM: Flüssigkeitsansammlung im Gewebe.

PARVOVIROSE: Gefährliche Infektionskrankheit. Sie löst Erbrechen und heftigen, blutigen Durchfall aus. Vorbeugen mit Impfung

PERIPHERE GEFÄSSE: Adern in der Peripherie des Körpers, wie Gliedmaße, Haut, Verdauungstrakt. Das Zentrum des Körpers sind Herz, Gehirn, Lunge und Nieren.

PNEUMOTHORAX: Die Brusthöhle, in der zwischen den Organen normalerweise ein Vakuum herrscht, ist mit Luft gefüllt, was dem Atemmechanismus stark behindert oder unmöglich macht.

PRÄCORDIALER FAUSTSCHLAG: Schlag auf die Herzgegend. Dadurch kann der Herzschlag durch einen Reflex angeregt werden.

SPANNUNGSPNEUMOTHORAX: Siehe Pneumothorax. Dabei kann durch eine ventilartige Wunde Luft in die Brusthöhle ein- aber nicht mehr ausdringen. Der Brustkorb füllt sich prall mit Luft, was sehr schnell zum Tod führt.

SPONTANATMUNG: Selbständige Atmung ohne Hilfe von außen.

STIFNECK: Im Rettungsdienst üblicher Halskragen zur Ruhigstellung der verletzten Halswirbelsäule, hier als Leckschutz.

SYSTOLISCHER BLUTDRUCK: Blutdruck, der während der Austreibungsphase des Blutes aus dem Herzen entsteht. Er hat bei Hunden einen Wert von etwa 110 bis 130 mmHg und lässt sich am Puls grob abschätzen.

TETANIE: Krämpfe, die durch akuten Calciummangel ausgelöst werden.

TRAUMA: Verletzung.

UTERUS: Gebärmutter.

VITALWERTE: Puls, Atmung, Blutdruck

VULVA: Scheideneingang.

ZYANOTISCH: Bläulich verfärbt.

Register

LITERATUR

Quellenangaben

BONATH: Kleintierkrankheiten 2: Chirurgie der Weichteile, Ulmer-Verlag

BONATH: Kleintierkrankheiten 3: Orthopädische Chirurgie und Traumatologie, Ulmer-Verlag

BRASMER: Der Notfallpatient in der Kleintierpraxis, Enke-Verlag

DAHME, WEISS: Grundriß der speziellen pathologischen Anatomie der Haustiere, Enke-Verlag

EISENREICH: BLV Tier- und Pflanzenführer, BLV-Verlag

FORTH, HENSCHLER et al. : Allgemeine und spezielle Pharmakologie und Toxikologie, BI Wissenschaftsverlag

FREUDIGER, GRÜNBAUM, SCHIMKE: Klinik der Hundekrankheiten, Enke-Verlag

HAWCROFT: Erste Hilfe für Hunde, Kynos-Verlag

LÖSCHER, UNGEMACH, KROKER: Grundlagen der Pharmakotherapie bei Haus- und Nutztieren, Parey-Verlag

MEHLHORN: Gefahren für Hund und Halter, Springer-Verlag

NEIKA: Kurze Zusammenfassung der Ersten Hilfe am Hund, Ausbildungsunterlagen der Johanniter Unfallhilfe-Rettungshundestaffel Hessen Mitte

Praktikum der Hundeklinik, Parey-Verlag

STÜNZI, WEISS: Allgemeine Pathologie für Tierärzte und Studierende der Tiermedizin, Parey-Verlag

ECKENBACH-ARNDT: Erste Hilfe am Hund, Der Rettungshund, RH Verlag